華僑二世徐翠珍的在日

その抵抗の軌跡から見える日本の姿

徐翠珍 著

東方出版

はじめに　――現に今生きる移民たちが見えていますか。

二〇一八年秋に入管法「改訂」案が国会を通過し、二〇一九年四月からあらたな在留資格をつくり外国人労働者を受け入れることとなりました。少子高齢化・人口減少が著しい日本で労働力不足が叫ばれ、いま頃になって共生社会のあり方、外国人労働者の人権などがマスコミ等で議論になっています。今回の入管法「改訂」は詳細を批判するまでもなく、日本の入管行政、外国人労働者に対する政策は、そもそも砂上の楼閣でしかないのではないでしょうか。

過去の戦争中に数百万人の若者を戦地に送り、国内に生じた労働力不足を解消するためと言って、朝鮮半島や中国・台湾から何百万人もの労働力を強制的に移住させました。このような歴史を思い起こしていただきたい。戦後、残ったその子や孫たちに対する政策は、はたしてまっとうな歴史認識に基づいた「共生をめざす」ものであったのか、「人権」を基軸にした政策であったのか。

また、一九九三年に始まった「技能実習制度」は隠しようもなく日本の人材不足を補うため以外の何ものでもないでしょう。積み残した彼・彼女らへの構造的人権侵害についても、その対策は一向に進まないままです。今回の入管法「改訂」もしかり、あれもこれも積み残したまま、またもや身勝手な人手不足対策でしょうか。これではまたまた同じ過ちを繰り返すことは免れません。

砂上の「共生・共存」「人権」を、戦後の外国人登録法・入管法（出入国管理法）のはじめから二〇〇九年「改訂」入管法・入管特例法・住基法（住民基本台帳法）までを振り返ってみなければ、見える事実も見えるはずがありません。

この社会は現に今を生きる移民たちが見えているのか、日本に生きるその二世、三世たちの行く末を想像してみなくては日本社会は開かれていかないのではないでしょうか。

二〇一九年八月

徐　翠珍

華僑二世徐翠珍的在日　目　次

凡例

一　著者がこれまで書いたエッセイ、論考を集大成した。エッセイは、第六、第七章にまとめた。「はじめに」、資料編の1著者略年表、2在日中国人渡日関連史実は、本書のために書き下ろした。資料3、4、5は、原文のまま記載している。

二　在日韓国人、朝鮮人の韓国（朝鮮）は、初出のみ原語読みを（　）内にカタカナで付した。在日韓国人、朝鮮人の表記は統一していない。

三　掲載写真は著者からの提供による。

四　各章扉と表紙カバー・裏面の花の絵は著者の作品。

第一章　私の原点——闘いの軌跡

とうおがたま

春から初夏にかけ神戸の街角から香ってくるのは花のさまは地味ではあるが懐かしい「とうおがたま」の香り。母にはこの香りが上海での青春の懐かしい思い出とともに香ってくるのだろう。年端もいかない頃から製糸工場で「童工」として苦渋をなめてきたが女工として重ねた数十年は労働者としての自信に満ちた日々でもあったのだろうか。つかの間とはいえ、上海の公園で女工仲間とのおしゃべりや笑い声が聞こえてくるようです。若い彼女らの胸元にはいつもジャスミンやおがたまがさしてあり、花の香がしていたとか。

ふるさとを遠く離れ、神戸の春、散ったその花をひとつふたつ拾っては少し湿らせたちり紙に包み、ポケットに忍ばせるのである。さしずめ甘い香水を襟元などに漂わせるように。上海での友らとの日常を思い起こしてでもいるのか、やさしいまなざし。懐かしい母の思い出にと我が家にも植樹。毎年香る花を私もティッシュに包んでみる。 漢名「唐招霊」。

〈華僑には家があっても帰る場所がない〉

戦争が引き起こされ、その同じ地で「敵国人」になってしまうとはどのようなことなのか。日常の生活は監視の中、いつなんどきスパイにされて迫害され、命そのものが危険に晒《さら》されてもおかしくない。事実、過去幾度もの戦争勃発時には、その危険を少しでも回避するため、国に残した家族との離散を避けるためにも、多くの在日華僑たち(1)は日本から故郷中国へと帰国して行きました。

一八九四年〜一八九五年　甲午戦争（日清戦争）、清国民は日本の敵国人となる。

一八九三年　五、三四三人を数えた華僑たちは敵国人としての弾圧、迫害を恐れて多くが帰国。一八九四年にはその数一、五七六人にまで激減。一八九九年、やっと六、三五九人に回復した。

一八九九年　ここからはかつての貿易商などの華商ではなく、「内地雑居令(2)」等によって厳しい法規制下で日本の労働力の調整弁となる「華工」の時代、日本における「外国人労働者」の時代に入る。

一九三一年　柳条湖事変（満州事変）では、横浜・神戸の華僑の多くが迫害を恐れて集団帰国。一九三〇年の在留数三万〇八三六人が、一九三一年には一万九一三五人まで減少。

一九三七年　対中国全面戦争で、一九三六年の華僑人数は四万五〇〇〇人であったが、戦争勃発の一九三七年には華僑の集団帰国が始まり、二万七〇九〇人と減少している。これ以後は厳しい戦争状態で帰国不能となった。

一九四五年　日本の敗戦から一九七二年日中国交回復まで、政治に翻弄され、故郷中国の地を踏むことが出来ず、家族は引き離されたまま、もちろん親の死に目にも会えませんでした。母が郷里の父の死を知ったのは、郷里の兄からの一通の手紙でした。その時の母の涙が思い出されて悲しい。

当時の華僑一世たちはまがりなりにも「帰る」故郷があり、様々な形で「国」との具体的な繋がりもまだあったであろう。しかし、戦後を生きてきた私たちはすでに五世、六世を数えます。戦争準備をする日本は私たちに大きなとまどいと脅威をもたらしています。

私にはもう帰る「故郷」、つながる「国」はありません。戦禍が広がろうが、敵国人としての迫害を受けようが、ここ日本が私の「故郷」です。

私は「中国国籍」であり、私の子や孫は「日本国籍」です。(国籍法により、父母両系血統主義・帰化手続き簡素化などや、日本人との婚姻が圧倒的に多い中、「中国籍をルーツにもつ」日本人が年々増えている)

国家間の憎悪を生む「戦争」は私たちに何をもたらすのか！　かつて私たち華僑は国家による「内政不干渉」という方針の下、日本の政治には極力直接関わりを持たないよう生きてきました。しかし、ここ日本はすでに帰る場のない私たちの「故郷」であり、国籍が何処であれ、この社会の主体者なのです。

まがりなりにも生きていた「憲法九条」の下で、私は七〇数年生きてきました。ほんの一時期を除いて、日本はアメリカの要請に動かされながら、常に戦争への危惧がつきまとっていました。特に「嫌中」ヘイトが民衆の中にも根を張りそうな気配に、戦争は遠い「歴史」ではなくなりつつあります。

市民社会の一員としてこの社会を監視する義務と責任があるとはいえ、私には「選挙権」すらないのです。憲法制定に責任あるみなさん、どうか「憲法九条」を捨てないで頂きたい。日本の憲法にはアジアの人々にも「もの言う権利」があるものと確信しています。「憲法九条捨てさせない！」私の切なる叫びなのです。

(1) **華僑**　一般的に中国国籍のまま移住国に生きる在日中国人。在日華僑は日中戦争終戦まで又は一九七二年国交回復まで日本に定住していた在日中国人とその子孫を指す。

(2) **内地雑居令**　一般欧米外国人には特定居留地から日本各地への雑居が許される。しかし、すでに在留していた在日中国人には、厳しい管理法令で動向を縛り、新たに入国する中国人には厳しい職業規制を行った。この頃に制定された、在日中国人を管理するための法律は戦後から今に至る外国人管理の入管法、外国人登録法の原型となる。

第二章　国籍条項

〈母の渡日―「上海事変」をくぐり抜けて〉

二十数年間上海で様々な体験をしながら生きてきた私の母。日本を含む外国の租界―外国資本の企業が立ち並ぶ上海で、母はわずか七歳で製糸工場の女工として（以後二〇年近く）、童工（トンコン）といわれる児童労働者として製糸工場で働き始めました。

童工とは子ども労働者のことです。一九二〇～三〇年代、特に「満州」、上海等の紡績、製糸工場の中には相当数の年端もいかない子どもたちがわずかな賃金で労働者として働いていました。一九二六年「満州福島紡績」の場合、工場には八〇〇余名が働いていましたが、そのうち六割が女工であり、全労働者の半数は童工でした。労働時間は、毎朝六時から夜の六時までの一二時間、八～九才の童工も大人と同じ重労働につかねばなりませんでした。賃金の一例、「満州福紡」の場合、男子は日給日本人労働者の三分の一の二角五分、女工は男工の八割、童工はそれよりぐっと低く無残な状況でした。撫順の炭鉱労働の場合の月給「満州国」当時二〇元、童工は六元[3]でした。

母が中国上海を離れたのは一九三六年、麦畑が一面新緑の頃でした。上海の半植民地下で、侵略される者の悲哀を体験しながら女子労働者としての誇りと自信の中で生きてきたのです。

(3)　一九三二年当時、映画のチケット二角から二元（一〇角＝一元）

一九三二年、母が二〇歳の年に「上海事変」が勃発、日本は四日間で全上海を占領してみせると豪語し上海を踏み荒らしました。工場は次々閉鎖され、母が働く製糸工場の操業も停止しました。

母が上海郊外の村に戻るとき、村に通じる唯一の橋は封鎖され日本兵の歩哨が立っていました。父親の身を案じて必死でその封鎖線を突破して村の中に入ると、銃弾で傷ついた人々があちこちに横たわり、撃たれ傷ついた子どもたちが泣き叫んでいたそうです。

その時日本兵はすでに村を占拠していました。そして村内の人々をすべて集め、どこへ向かうとも知らせず村外にむけてぞろぞろと行進させたのです。その中に私の母、その父親も一緒でした。母の母（私の祖母になりますが）は早く他界していたので、私の母と祖父だけでした。まだ若い娘だったその時の母のいでたちは、男の服装に帽子をかぶり腰にはドンゴロスの帯を結んで、まさにみすぼらしい男の子のようだったそうです。日本軍は「もし一人でも逃亡したらみな殺しにする」と言い渡しました。

母たちの村は日本軍に接収されたのです。軍用にするためにすべての村民を追い出したのです。母はその時、「もう命はないものと覚悟を決めていました」。でも「少しも恐くはなかった。父も村のみんなも一緒だったから、でも出来ることなら一番に射ち殺してほしい、村のみんなや父親が射たれていくのを見たくないから」と思ったそうです。

結局村の多くの人々は上海の難民収容所（赤十字管轄）に入れられ、母は行方知れずの近隣の村に嫁いでいた姉家族を探して上海の町をさまよい歩いたそうです。

母はそれから数年後、日本（神戸）で洋服仕立業を営んでいた同郷の知り合いのつてで、渡日して丁稚奉公をしていた父と上海で結婚しました。父は結婚を機に帰国したものの上海では職を得ることができず、母にとっては初めて、父にとっては二度目の渡日となったのです。母が二三歳頃、父は二一歳頃だったでしょうか。

〈母の感性を育てた上海の光景〉

母の生まれ故郷、日本に奪われた村は屈家橋（上海市江湾）と言います。私は母の聞き語りをたどってみようと、初めて上海の地を踏みました。外国人登録法の指紋押捺を拒否する前でしたから、まだ再入国の許可が出ていました。今から数十年も前のことです。

母が祖父の身を案じて強硬に渡ったという屈家橋は想像していたよりずっと小さな石の橋でした。村の畑の中に今も残る日本軍の防空壕も見てきました。村道を歩きながら、かつて横たわっていた死者たちのうめき声が聞こえてくるような気がしてなりませんでした。母がつかの間の青春を仲間の女工たちと楽しんだであろうバンド[4]界隈も歩いてみました。

上海では日本のことを「東洋（トンヤン）」とも呼んでいます。日本人のことを「東洋人（トンヤンレン)」あるいは「東洋鬼(トンヤンクェイ)」と呼んでいました。母が女工として生きたのはそんな半植民地の空気とともに「ハイカラ」な町でもあった上海でした。母はその両方の空気を感じながら生き、その感性を育んできたのでしょう。

私が婦人服仕立て業を始めた両親のもと、六人きょうだいの第四子として生まれたのは一九四七年四月一〇日です。神戸空襲でトーアロード近辺に間借りして住んでいた家を焼け出され、転々とした後にやっと落ち着いた先が私の生まれた神戸市の加納町です。国鉄三宮駅(当時)からは歩いても十分ほどの場所でした。戦後の神戸もまだまだ戦争の気配を残し、みすぼらしい軍服ゲートル姿の復員した人々が三宮界隈にたむろしていました。

母は上海の家族と離れ、父だけを頼りに一人日本に渡り、日本語もまったく出来ない中で六人の子育て、仕立て職人の父の下支えの人生でした。

しかし、そんな母の感性の底にあったのは上海女工時代に育んだ「自立」と「民族の誇り」ではなかったでしょうか。まだ封建的なあの時代に人間の尊厳をかけた半植民地下、日常的に繰り広げられる労働者たちのストライキ、デモ。封建制に風穴をあける新風の吹く上海で女子労働者として青春を生き、我が故郷を銃剣をもって奪い、仲間を殺し、生死の間をさまよわせた日本軍「東洋鬼」を目の当たりにしてきたのです。そんな中で得た感性ではなかったでしょうか。

この感性こそ私たちを育てる基軸であったと思います。

母は私が様々な社会運動に関わり、デモ参加で怪我をすることがあっても、大阪市と「国籍条項撤廃」の闘いや「指紋押捺拒否」の闘いでマスコミなどで大事《おおごと》になった時も、母は何も言わず、否定的なことは一言も言いませんでした。父母を取り巻く華僑仲間たちの間では「勝てるはずがないよ！無理な闘いだ」といつも話題になっていたようでした。それでも父母は娘の闘いを否定しませんでした。

上海語しか出来ない母だったので私は生まれたときから中国語（上海語）の中で育ちました。私が子どもの頃の母はいつも中国服を着ていましたし、食べ物を含め、生活習慣はすべて中国式でした。

六人の子育てで貧困の中にあっても、私は日本の公立学校とは比べものにならない程高い授業料が必要だった民族学校の神戸中華同文学校に通いました。華僑たちが自力で守ってきた民族学校も戦火や弾圧で潰され、やっと再建した民族学校も何の経済的援助もない中で運営せざるを得ず、必然的に学校に通う一人ひとりの経済的負担は大きいものでした。

そんな民族学校の中で、授業料さえ満足に払いきれなかった者は、肩身の狭い思いをせざるを

(4) **バンドー界隈**　漢字では「外灘」、中国読みで「ワイタン」。上海人は今でも普通にバンドーともワイタンとも称している。当時（戦前）から旧租界地域の外国金融関連の近代高層ビルが立ち並ぶ黄埔江沿いのモダンな街並みが特徴。

えませんでした。私自身も「貧乏ったれ」として授業料の半免費児童（貧困家庭の学費減免制度）でした。授業料の袋渡しの日は半費の印の入った袋をもらうのがとてもいやでした。特に、教師の「なぜ半費しか払えないのか」という嫌みが本当に腹立たしくて、今でも忘れることができません。

しかし、小、中と九年間、民族学校の中で、そして中国的な環境の中で、本当に自然に、中国人として育ってきました。私が「中国人である」ということを一度も否定的にとらえることがなかったのは、父母の努力とともにこの民族学校での九年間があったからです。

「貧乏ったれ」として、在日中国人社会、民族学校でいやな思いをしながらも、私は、民族教育にたずさわる仕事がしたいと、漠然と考えていました。そして、日本の定時制、神戸市立兵庫高校（現在は神戸市立摩耶兵庫高校と改名）、武庫川女子短大二部初等教育科を卒業するまで、昼は仕立て見習いや神戸華僑幼稚園教諭の補助をしながら、六年間、夜間学校に通ったのです。

これまでの十数年間、私はいわゆる民族差別についてあまり実感はありませんでした。例えば、高校受験の時、ある私立高校に願書を出しに行く友人に同行し、その学校から「うちは、中国人は採りません」と文字通り門前払いされた時も、短大卒業前、級友たちがみな忙しく各公立の幼稚園や小学校の採用試験の手続きをしている時も、私は何の疑いもなく「私は、中国人だから入れるわけがない」と思っていたのです。

〈西成で―黙っていては、中国人として生きられない！〉

一九七〇年、結婚し大阪の西成区に移りました。初めて多くの在日韓国・朝鮮人、あるいは私と同じ、在日中国人が日本社会の様々な偏見や差別によって同化を強いられていることを知りました。それぞれの民族性が肯定的なものとしてではなく多くの場合は否定的なものとして扱われていること、日本人学校に多くの在日韓国・朝鮮人や、在日中国人の子どもたちが在籍していることにそれまで気がつきませんでした。在日中国人であることを主張して生きていながら、より多くの在日中国人や同じような歴史を持ってこれまで歩んできた在日韓国・朝鮮人が日本社会でどのような状況の中で生きているのかさえ知らなかったことに初めて気づかされました。

こうして、この西成で民族差別を実感していくことになります。

それでも私は、「貧乏ったれ」であったがために生きにくかった在日中国人社会からこの西成に移り、まさに水を得た魚のように「貧乏ったれ」を堂々と肯定的に生き始めることが出来たのです。

西成に移った私はまず、仕事を探し始めました。自分の住む地域近辺のすべての保育所、幼稚園に保母としての採用を打診して回りました。結局どこからも良い返事がありませんでした。近所の工場で数ヶ月働いている間にある民間の保育園から連絡があり、面接に行くことになりました。

履歴書を持参し、家からすぐ近くにある大阪社会福祉法人キリスト教社会館めぐみ保育園に出向いて行きました。キリスト教の牧師である園長は私の履歴書を見ながら「来て下さい」と話し正式職員として採用となりました。一九七〇年一一月一九日のことです。しかし「名前は徐(ジョ)では読みにくいので」という理由で、私の連れ合いの苗字である林（リン）を日本語読みの「はやし」と読んで「はやし先生で」と条件がつきました。良心的な園長とは言え、外国人の人権には、まだまだ疎かったのでしょう。

私はやっと仕事をみつけたのに、情けなくなりました。自分の名前が「ダメだ！」「日本名にしろ」と言われるなんて、情けなくて、悔しくて、こんなことは初めてでした。

私はそのまま、そこに就職しました。でも、どうしよう、「はやし」なんかで生きていける筈がないのに、と内心思っていました。

私はずっと中国人として生きてきました。でも、この西成に来て、初めて黙っていては、中国人として生きられなくなることを思い知らされていくことになるのです。

就職してすぐに私は、「はやし」として紹介されたのですが、一ヶ月もたたないうちに私は職員や子どもたちみんなに「はやし」ではない、在日中国人だから「リンです」と主張しました。七一年一月から「リン」となりました。徐（ジョ）ではなかったけれども、私は少なくとも中国人であることを取り戻したのです。私は中国人保母として在日韓国・朝鮮人が半数近くも在籍することの保育園の子どもたちの前にやっと堂々と立つことができたのです。

一九七〇年の時点ですでにめぐみ保育園の公立への移転計画が持ち上がっていました。一九七一年七月一日には民間保育園から大阪市立長橋第三保育所に変わり、園長は大正区の新しい民間保育所を委託されることが決まりました。

私たち職員は、この保育所が市立になってもそのまま残る人と、大正区の新保育所に移る人と、それぞれ自由意志で選択することとなり、大阪キリスト教社会館職員組合を通じて具体的交渉に入りました。

私が、在日中国人であることもあってか、在日韓国・朝鮮人の保護者たちともつながりができ、オモニ（お母さん）たちと民族差別の実態や子どもたちへの思いなどを話し合えるようになりました。家庭訪問などを通じて、在日を生きてきたオモニ（お母さん）・アボジ（お父さん）たちの被差別の実態などを聞かせてもらいながら、私はここで多くのことを学び、私のやることをやっと見つけたような気がしていました。その選択について、私は何の迷いもなく「ここに残りたい」と主張しました。「この地域のこの職場を選んで就職したので、そのまま残留する」と意思表示したのです。

ところが、大阪市に移管されるため「希望者全員市職員」＝公務員になるはずですが、私の希望は「在日中国人では困る」と拒否されました。

一九七一年二月二〇日、当時大阪市の出先機関であった長橋公民館と職員と身分保障についての話し合いで館長発言は「在日中国人は採用できないのは原則。帰化していない場合は本採用は無理。嘱託については未調査」とのことでした。

ここは私の職場です。そこの経営主体が民間から公立に変わるからといって、なぜ私が放り出されなくてはならないのでしょうか。ましてや、ここは商品を生産しているのではなく、生身の子どもたちとのかかわりの場なんです。他の職員はすべて自らの希望通りになりました(一九七一年七月二一日、残留希望者の「市職員採用試験」が実施されました。三名合格、二名不合格)。

一九七一年二月二六日の交渉時、大阪市民政局保育課主査は、「地方公務員法により、在日中国人は残留できない」と発言。しかしこれは誤りで地方公務員法にこのような規定はないのです。地方公務員法どころか、大阪市条例にもなく大阪市人事委員会が決定する各種職員の採用要綱のなかの「日本国籍を有するもの」という一項だけが問題だったのです。その採用要綱についても、大阪市人事委員会の見解は以下のようなものでした。

「大阪市職員の採用に関し、日本人以外の者は職員として採用できない旨を定めた条例は存在しない。職員の採用要綱は、試験の都度、人事委員会と担当部局と合議して決定するものであり、日本国籍を有することを条件とする条項―保母採用条項もそのような手続きで決定されたものである。」

この「国籍条項」は大阪市の固定してしまった民族差別に基づいた慣例によるものだったのです。さらに言えば、一九五二年七月、自治省は、平等取扱いの実例として、「外国の国籍を有するものを一般公務員に任用することについては、地公法その他の国内法上、制限規定がないので原則として差し支えないものと解する」との見解を出しているほどです。

交渉が進むにつれて市職員の採用要綱を根拠に、「日本国籍を有する者」とあり、帰化するしかない」「在日中国人が保母になると一般市民感情が許さないだろう」（大阪市民生局保育課長吉原賢太郎）、「そんなに不服があるなら自分の国に帰れば…」「朝鮮人や中国人が日本に居るのは勝手に日本に来て働いているのだ」（長橋第一保育所所長発言）と、本心をあらわにしました。

なんとふざけた話でしょう。私が保育している子どもたちは日本名こそ名乗らされてはいても半数は在日韓国・朝鮮人の子どもたちです。この子たちの前に韓国・朝鮮人、在日中国人保母が一人もいないことこそ問題ではないのでしょうか。

なぜ、この子たちを「日本人」と言うのか、また、この発言は、在日中国人、朝鮮人に対する日本人の中にある差別感情を助長し煽動するものに他なりません。

一九七一年五月二六日の交渉でも大阪市民生局保育課は再度「外国籍だから無理」と回答しました。私に職場を確保するためには、またもや、中国人であることを捨てろというのです。

一九七一年六月一日、採用問題が決着しないまま私は産休に入りました。

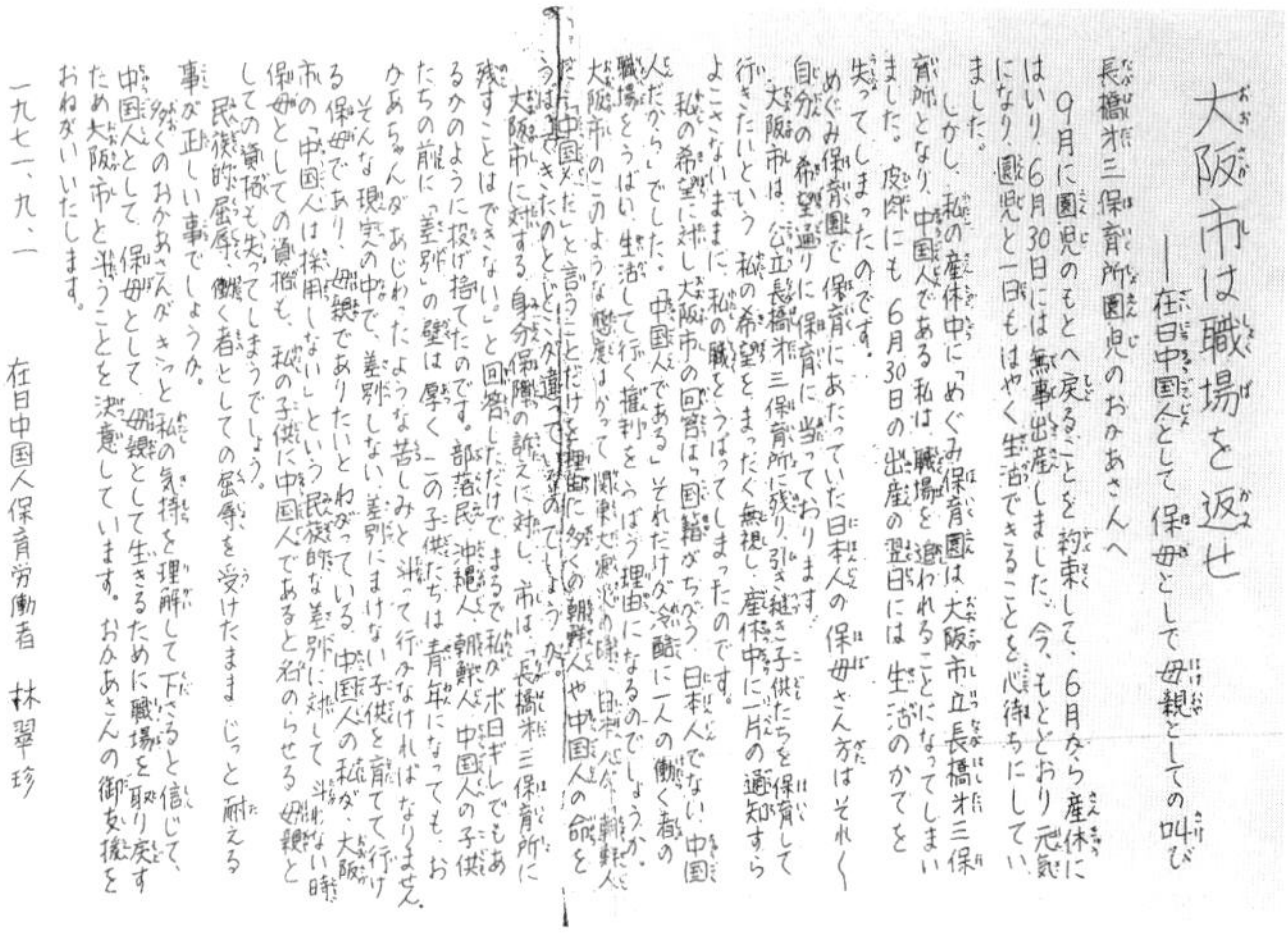
大阪市は職場を返せ
―在日中国人として保母として母親としての叫び

長橋第三保育所園児のおかあさんへ

9月に園児のもとへ戻ることを約束して、6月から産休にはいり、6月30日には無事出産しました。今、もとどおり元気になり、園児と一日もはやく生活できることを心待ちにしていました。

しかし、私の産休中に「めぐみ保育園は、大阪市立長橋第三保育所となり、中国人である私は、職場を追われることになってしまいました。皮肉にも6月30日の出産の翌日には生活のかてを失ってしまったのです。

めぐみ保育園で保育にあたっていた日本人の保母さん方はそれぞれ自分の希望通りに保育に当っております。

大阪市は、公立長橋第三保育所に残り、引き継ぎ子供たちを保育して行きたいという私の希望をまったく無視し、産休中に一片の通知すらよこさないままに、私の職をうばってしまったのです。

私の希望に対し大阪市の回答は「国籍がちがう。日本人でない。中国人だから」でした。「中国人である」それだけが冷酷に一人の働く者の職場をうばい、生活して行く権利をうばう理由になるのでしょうか。

大阪市のこのような態度はかって関東大震災の際、日本人が、朝鮮人だ中国人だ」と言うことだけを理由に多くの朝鮮人や中国人の命をうばってきたのと、どこが違うのでしょうか。

大阪市に対する身分保障の訴えに対し、市は「長橋第三保育所に残すことはできない。」と回答しただけで、まるで私がボロギレでもあるかのように投げ捨てたのです。部落民、沖縄人、朝鮮人、中国人の子供たちの前に「差別」の壁は厚く、この子供たちは青年になっても、おかあちゃんがあじわったような苦しみと斗って行かなければなりません。

そんな現実の中で、差別しない、差別にまけない子供を育てて行ける保母であり、母親でありたいとねがっている。大阪市の「中国人は採用しない」という民族的な差別に対して斗わない時、保母としての資格も、私の子供に中国人であると名のらせる母親としての資格も失ってしまうでしょう。

民族的屈辱、働く者としての屈辱を受けたまま　じっと耐える事が正しい事でしょうか。

多くのおかあさんがきっと私の気持を理解して下さると信じて、中国人として、保母として、母親として生きるために職場を取り戻すため大阪市と斗うことを決意しています。おかあさんの御支援をおねがいいたします。

一九七一、九、一

在日中国人保育労働者　林翠珍

大阪市立長橋第三保育所が一九七一年七月一日に開所しました。皮肉にも私が初めての子ども（中国人三世）を出産した次の日、「中国人」であることを捨てなかった私は、大阪市から「国籍条項」を根拠にしてボロ布ででもあるかのように解雇されたのです。

当時この地域は零細の皮革産業の町でした。保育園の保護者たちの多くは製靴の仕事に従事していました。特に甲皮（くつの甲の部分の作成）、底付け、ヒール巻き等々の分業が多くきつい仕事でした。彼女たちから内職を回してもらったり、励ましを受けながら、生活をつなぎつつ、大阪市相手に「在日中国人保育労働者としての私の職場を返せ」の闘いは始まりました（本頁写真は著者が一九七一年九月一日に保育所前で配布したチラシ）。

一九七一年九月四日には、数名のめぐみ保育園保母や職員も参加の下「西成徐翠珍さんを支援する会」が結成され、署名活動などが始まりました。私は九月一〇日から毎朝三〇分、大阪市立長橋第三保育所門前で抗議の座り込み、保護者たちへ「訴え」のチラシ配りなどを始めました。

大きな大阪市を相手に、それも市の文書化された仰々しい「日本国籍を有するもの」という採用条項の撤廃を要求したのです。

かつての仲間である他の職員も「条文」であるんだから仕方がない、勝ち目はない、と多くは自らの身の保全に散り散りになっていった中で、私の力の源は「在日中国人」であることを曲げるわけには行かない、母からいつも教えられてきたように「中国人としてちゃんと生きなあかん」という信念と、多くの在日朝鮮人の子どもたちの前に、「民族差別」に負ける姿を晒す訳にはいかないということでした。そして、「うちらもさんざん差別され、日本名も名乗らざるを得んようにされて、悔しい思いばっかりしてきたけど、先生がんばってや！」と励ましてくれるオモニたちの存在でした。

〈大阪市への訴え、抗議〉

一九七一年一一月一日には、大阪市人事委員会へ「身分保全の異議申立て」をしましたが、一二月一日には「大阪市職員ではないので審査対象にはなり得ない」と申し立てを却下されました。しかたなく、次に大阪地方裁判所に「地位保全の仮処分申請」を申し立てました。法的な訴えとともに様々な形で抗議活動が広がっていきました。

大阪市との交渉が膠着する中、一九七一年一一月ころから大阪市民生局は私たちの抗議行動に毎回警察機動隊を導入するようになりました。一九七二年五月三一日、「関西徐さん支援連絡会議」「西成徐翠珍さんを支援する会」が行った大阪市への抗議行動にも機動隊を導入し、混乱の中八人もの青年が逮捕される事態も起きました。まだ小さな子どもを抱いて現場にいた私も多くの機動隊に周りを取り囲まれ、身動きできずこわばる子どもを抱きしめてじっとするしかありませんでした。

「差別採用要項」撤廃の要求は、これほどまでに大変なことだったのだと思い知らされました。しかし、政治や人権に関心の薄い現在と違い、打てば響く時代でもありました。「民族差別による不当解雇」として抗議の環は全国に大きく広がり、マスコミも大きく取り上げていました。

大阪市の差別的対応について、理解も支援もなかった大阪市職員組合に対して、根気よく問題提起を続け、公開質問状の提出、交渉を重ねました。そんな中、自治体労働者有志の会の結成など、大きな前進を見ることになりました。部落解放同盟からも当初は「国籍条項は民族差別」として認識されず、国籍条項は問題にせず、「仕事補償」の問題として問題解決への共闘姿勢を打ち出していたため、意思統一が出来ず共闘に至りませんでした。その後、部落解放同盟も地域支部だけでなく大阪府連へと問題を拡大し、「関西徐さん支援連絡会議」との話し合いを重ね、大

保育園の子どもたちと

阪府連第四回執行委員会で大阪市当局に対し、「徐翠珍さんの即時職場復帰を要求する」との決議にいたりました。

こうして一九七二年一二月一三日、ついに解決に向け「関西徐さん支援連絡会議」「部落解放同盟大阪府連」「大阪市職員労動組合」三団体による団体交渉が設定されました。交渉相手は大阪市民生局局長以下民生局の幹部たちでした。

大阪市中央公会堂の集会室には約四〇〇人の支援の学生、各地で結成された「支援の会」の労働者や市民たちが集まり、熱気の中で交渉は始まりました。

三者共闘の要求は

①大阪市は徐さんの職場を返せ
②大阪市は民族差別採用要項を撤廃せよ
③元保育課長の民族差別発言を糾弾する
④大阪市は不当解雇による徐さん家族への生活破壊

に対し謝罪賠償せよ
等々でした。
私たちの要求に対し、大阪市は「①徐さんを日本人保母と同じ条件で採用します」②保母採用条項については、「在日中国人、在日朝鮮人につきましては、他の外国人とことなり歴史的事情があるので、これを踏まえて、前向きに検討してまいります」（一九七二年一二月一三日）と約束しました。
大阪市との交渉が実現し、約一年半の闘いにやっと光が見えてきたのです。なによりも、大阪市は採用要綱の「国籍条項」は在日韓国・朝鮮人、在日中国人らの就職の機会均等を奪い、実態は民族差別そのものであることを認めたのです。一九七三年一月、私は解雇撤回を勝ち取り、やっと「現職復帰」することになりました。外国籍公務員第一号でもあり、大阪市職員「徐翠珍」として私は職場を取り戻したのです。
この大きな闘いは労働問題であるのみならず、歴史的経緯ある「在日韓国・朝鮮人、在日中国人」の生存権主張の始まりでもありました。（一九七九年の国際人権A規約、B規約批准、一九八二年難民条約発効まで日本国籍を持たない者はほぼすべての社会保障から除外されていた）
それまで、私たちは大変な差別状況の中でなかなか声を上げることもできず、どんなひどい処遇に対しても「あきらめる」ことを強いられ生きてきました。私が意識していたわけではなく、

大阪市　中国人の保母認める

徐さんは職員です

——日中復交

「中国人であることを理由に保母をクビにしたのは民族差別だ」と訴え続けて来た中国人女性について、大阪市は十ノ日、この女性を市立保育園の保母として採用する方針を固めた。日中両国の国交が回復した時代の流れや、根強い支援闘争に押され、保育に対する女性の情熱もくんだもので、医師など専門技術職以外に外国人を市職員に採用するのは同市では初めて。

採用は決まったが「大阪市の保母採用要綱など基本的要求が受入れられねば職場へ戻れない」と語る徐さん

不採用を取消す

「お恵み」浮かぬ当人

この保母さんは神戸生まれで、中国籍を持つ同市西成区長橋通七の三、徐翠珍さん（二七）。武庫川女子短大で幼稚園教諭の資格を取り、四十五年十一月、西成区南開町六「めぐみ保育園」（当時、大阪キリスト教社会館運営）の保母として採用された。

ところが、昨年七月、同市が同和保育対策の一環として同保育園を買収、市営に移管。同園にいた徐さんを含む保母たちは「市立になっても希望者は嘱託として引続き雇用する」という市に、残留希望を伝えていた。

しかし、同年七月一日付で採用されたのは日本人の保母だけで、市は「保母採用要綱で日本国籍を持たない者は職員の資格を与えられない」と徐さんの採用を拒否した。

これに対し徐さんは「日本国籍を採用条件とすることは法的根拠を欠き、国籍、民族による差別だ」などと主張、昨年十二月二十五日、大阪地裁に地位保全の仮処分申請を出した。保育園前に座り込んでビラまきを続ける徐さんの訴えは地元の支援を集め「徐さんに職場を返せ」の運動はしだいに輪を広げ、支援団体もつぎつぎと誕生、なんども市とかけ合った。

今月十六日、部落解放同盟大阪府連役員が「同和保育に打込みたい」という徐さんの意向を市側に伝えるとともに「民族差別をやめろ、我々はあらゆる差別に反対して闘う」と市側を追及した結果、西尾正也同市民生局長は「採用出来るよう前向きの努力をします」と初めて約束。その後、市の内部で検討、徐さんが採用前に勤務していたことと、同和保育に対する熱意を高く評価、採用への方針を固めた。身分は元の同僚である日本人保母と同じように嘱託採用で、徐さんは幼稚園教諭の資格しかないので一定期間内に保母免許を取る条件付きで、今月中にも採用の意向を徐さんに伝えるもよう。

公務員の採用条件としては裁判官や警官など特別の職種以外は外国人を締め出す法的な根拠はない。しかし「外国人が公権力を行使し、行政機関の意思決定にあたるのは好ましくない」というあいまいな理由が公的。国はじめ地方公共団体も"行政上の慣習"として、採用試験要綱に「日本国籍を有する者」と規定。大阪市も四十三年に保母採用試験要綱にこの規定を盛込んだが、同市人事委員会はそれ以前も、日本人に限って採用してきたと説明している。

こんどの徐さん問題解決への背景について、市幹部は徐さん支援運動のほかに日中国交樹立、さらに戦時中中国大陸を占領して中国人を労働者として日本に強制連行した"歴史の重み"も否定できないとしている。

当の徐さんは十九日夜、自宅で「職場復帰だけでなく、そのほかの基本的要求や交渉の経過を抜きにして"お情け"で採用してやるといっても、職場へは帰れない」と素直に喜べないといった表情。

徐さんは当初からの職場復帰の大阪市は民族差別採用要綱を撤廃せよ、在日中国人、朝鮮人の採用、労働権を保障せよ――と要求、徐さん支援団体協議会はその後の交渉の過程で、さらに不当解雇による徐さん家族への生活補償に対し謝罪、賠償せよ、大阪市職員の民族差別意識を糾弾する――など新たな要求を出していた。

徐さんは「保母採用要綱を無視する特例なんかあり得ない。そうした姿勢や採用を放置しておいて、職場に帰してやるといっても無理だ」と今後の交渉で大阪市を追及する構え。長い"闘争"の間に、徐さんは根強い不信感をうえつけられてしまったようだ。

なお、採用要綱の国籍条項については、市職組が市へ「研究課題として話合いたい」と申入れており、今後検討される。

大阪市は著者の採用を認めた。国籍条項は残った（『毎日新聞』1972年9月20日朝刊大阪市内版）

結果的にこの闘いは、旧植民地民衆に対する戦後処理の理不尽さと差別の助長温存の政策を露呈させたと思います。そして日本の民衆の中にも払拭されずにある「民族差別の残存」を見ることにもなりました。しかし多くの日本人にとっても日本における「民族差別問題」とは日本自身の戦後再生の問題であると認識する機会ともなったのではないでしょうか。

めぐみ保育園は日本最大の被差別部落の中にあり、多くの朝鮮人の混住地でもありました。当時保育園の約四分の一は在日韓国・朝鮮人の子どもたちでした。大阪市の「採用要綱・国籍条項」の撤廃などとても実現出来ないと思われていた日本の状況下、私は在日韓国・朝鮮人の子どもたちに「差別にはあきらめるしかないよ」というメッセージを残したくないし、これから体験するだろう多くの「差別」をはねのけて生きてほしい、との思いでした。

一年半の闘い。今思えば、短いようですが、出産後すぐ、乳飲み子を抱え、先の見えない闘い、その上、「日本人でもなかなか公務員になれないのに、外国人じゃ、仕方ないのでは……」「そんなに文句があるのならお国に帰れば?」「中国人に保育されるなんて日本の市民感情が許さないのでは?」と容赦ない言葉を浴びせられました。そして舞い込む脅し、嫌がらせのはがき、封書。本当に、「あーしんど!」が本音でした。

しかし解決の翌年、一九七四年、尼崎、川西、西宮の三市で五人の外国籍公務員が誕生しました。また大阪、東京など教員、医師などの採用が相次ぎました。一、二年後には大阪市の保母職にも数名の「在日朝鮮・韓国人」の若者が採用されたと聞きます。教員や看護師、弁護士等々。基本的な生存権にかかわる門戸が開きはじめました。言い換えれば、これまでこれほど理不尽な中で「生きる」ことを強いられていたのです。

この闘いは期せずして、私たち「在日」の「この日本に生きる」ための人権獲得の闘いでした。私にとってはその第一歩でした。

この闘いは戦前からこの日本に生きた「在日中国人二世」の「生きる」ための軌跡であり、日本の戦後処理問題へのひとつの問題提起でもあったのではないでしょうか。

〈職場復帰その後〉

一九七三年一月現職復帰後、四月から年長児を担当して一年。次の年には「この地域で保育の仕事がしたい」という私の要求を露骨に排除、地区外の保育所に配転。配転拒否の話し合いの中で妥協案として「籍は長橋第三保育所に置いたままで同和保育連絡協議会に出向」となり、約二年間保育現場以外での学びでした。しかし「保育現場」への希望は又々地区外の保育所への配転。一九七八年三月大阪市を退職。転々とさせられただけの五年間でした。「時」はもったいない。

その頃、障がい児も地域で生きるという運動が広がり始めていました。まだまだ制度化されていなかった健常児と障がい児がともに学び合える放課後学童保育所「芽」を西成の地域で開設しました。学童保育所「芽」、障がい者福祉作業所での約二〇年は「てんやわんや」の中にも学び多い二〇年でした。

〈「当然の法理」が阻む現状〉

職場復帰、それから五〇年近くたちますが、日本社会の「国籍条項」はどのようになったのでしょうか。在日韓国・朝鮮人、在日中国人のみならず、多くの外国籍の若者たちはもう「国籍条項」によって進路を阻まれてはいないでしょうか。

五〇年前にがんばってがんばってきたんだから、一つ一つゆっくりでも解決されていくだろうと楽観していました。しかし、五〇年も経った今、現実はどうでしょうか。

大阪市の保育士の採用要項から「国籍条項」は撤廃されました。しかし実際は教員も、一般職も部分的にしか廃止されていないのが実情です。国家公務員法にも地方公務員法にも国籍条項はないにもかかわらず、多くの外国籍教員は「任用期限を付さない常勤講師」としてしか任用されていません。退職まで昇進の道も閉ざされているのです。同じ条件の日本人教師はもちろん何の規制もない「教諭」ですが、一般職に至っては外国籍でも受験可能な都道府県は極くわずかです。未だに任用も昇進も国籍条項に阻まれ続けています。

その根拠は一九五三年に政府が出した「法の明文規定はないが公務員に関する『当然の法理』

として、公権力の行使又は国家意思の形成への参画にたずさわる公務員となるためには日本国籍を必要とするものと解すべき」とし、この「当然の法理」は、法の明文規定がなくても今まで多くの外国籍者の人権を当然のように踏みにじってきたのです。大阪府市もそれに追随し、私の「解雇問題」解決直後、自治省に「日本国籍を有さないものの任用、受験資格を認めてもよいか」の照会をし、自治省から「出来ないものと解する」「適当ではない」の回答を引き出しました。（一九四三―五―二八自治省公務員第一課長回答）

戦後何度か改訂された国籍法により、特に「父母両系血統主義」や帰化の簡素化等で「歴史的経緯」ある「韓国・朝鮮・中国」国籍の「在日」数が減少しているのは確かです。今後「国籍条項」や「当然の法理」が直接身に降りかかることは減少していくことでしょう。しかしながら今後増え続けるであろう様々な国籍の「移民」たち、その二世三世たちが生きるこの日本社会にはまだまだ国籍による差別排斥があり、「当然の法理」がますます拡大解釈されていくことが案じられてなりません。

しかし今、在日韓国・朝鮮人、新しい移民・外国人労働者たちとマイノリティーを視野に入れた闘いは国連への「国籍条項」問題の差別実態の訴え、各地闘いの連携など、歩みは続きます。「当然の法理」に立ち向かい「国籍条項」の撤廃に向けた様々な動きが大きく実を結ぶことを願ってやみません。五〇年前の闘い、残された課題は「共生社会」の内実を問う中にあるのではないでしょうか。まだまだ立ち止まるわけにはいかないようです。

第三章　在日中国人——華僑の渡航史

ダイコンの花

第二章では「国籍条項」について述べてきました。ここでは私たち在日中国人（華僑）の生きてきた歴史など、少し簡略にお話したいと思います。

〈「内地雑居令」と、在日中国人管理体制の始まり〉

一八六八年、明治維新政府が誕生しました。これは日本にとっては「植民地帝国の一歩」でした。開国をきっかけに、在日中国人は欧米人の「帯同」（主にお抱え使用人）での渡日を手始めに、日本における在日中国人移住が始まりました。それに伴い、明治政府の在日中国人の動向把握、登録、取り締まりとその管理のための様々な試行錯誤が始まります。

一八六七年頃から籍牌規則（住民登録）を定め、一八六九年には清国人取締法発令、続けて多くの勅令、一八九九年の内務省令第一号「外国人入国に関する件」で華工の入国規制など。登録証の交付、氏名、住所、職業の届出、移動の届け出等々を義務づけていきました。それらは、戦後外国人登録制度の原型となり、現在に至っています。

特に一八九九年の「内地雑居令」によって外国人居留地は廃止され、外国人の定住、移住が可能になります。中国人たちも移動・移住が可能になるのですが、厳しい職業制限や動向把握の管理体制が敷かれることになりました。特に新たな入国労働者への職業規制は厳しいものでした。

これらの管理監視のターゲットは大多数の在日中国人労働者でした。この当時、朝鮮人はごく少数で一八八三年に一六人、在日中国人はすでに五〇〇〇人を超えていました。

朝鮮人はもちろん植民地化を期に一気に増えるのですが（一九一〇年で二六〇〇人）、一八七六年の「日朝修好条規附則」で労働者の就労を認める規定を交わしており、一九一〇年の「韓国併合」前には、表の数に出ない朝鮮人が日本で働いていました。

〈職業の規制と「三把刀」〉

一八九九年「内地雑居令」によって日本国内での移住が可能になったとはいえ、入国中国人には厳しい職業規制がおこなわれました。中国人に許可された職業は、「三把刀（サンパータォ）」と行商、雑業のみでした。

「三把刀」とは、洋服仕立て職人のはさみ、理髪職人のカミソリ、料理職人の包丁の三つの刃物を指します。中華料理職人はいうに及ばず、ちょんまげ和服の江戸時代から、明治の断髪・洋装への切替えになくてはならない職人・技術者が必要だった日本の事情による限定職業でもあったのでしょう。また、在日中国人の職業規制は移民人口のコントロールであり、日本人労働者との競合を避ける意味もありました。

この「内地雑居令」を期に、在日中国人はそれまでの「華商」群（日本の開国前は長崎貿易を中心とする、在日中国人貿易商、主にオランダ、日本の中継ぎをする「買弁」が中心でした）から大多数の「華工」が占めるようになります。一八九九年には、六三五九人を数えました。日本にとって初めての「外国人移入労働者」の始まりです。在日中国人の定住、華僑社会形成の大きな転機でした。

〈「敵国人」としての敵視、排外、弾圧の中での居留〉

一八六八年から一九四五年は、日本によるアジア植民地化の時代といえますが、私たち中国人移民労働者は、一五〇年近くこの「三把刀」を「財産」に営々とこの日本に生きてきました。

その間、一八九四年の日清戦争、一九三一年以来の中国侵略一五年戦争と長い戦時下、日本の敵国人としての居留は敵視、排外、凄まじい弾圧の連続でした。

一九二三年、関東大震災時の在日中国人七〇〇人以上の虐殺。一九三七年、在日中国人の管理統制の強化で三二六人の在日中国人を逮捕拷問。翌年には三九四人をスパイ容疑で強制送還しました。多くは衣料品や雑貨類を背中に背負い、辺鄙な村々を行商して歩いた在日中国人たちでした。「くまなく歩いた」ことでスパイの疑惑を掛けられたのです。侵略国日本に居住する「敵国人」の辛酸をなめ尽くしてきました。

私が神戸で三把刀の一つ、洋服職人の父母の下に生まれた一九四七年、残留在日中国人総数は約六万人ほどでした。

〈「平和憲法」から除外された戦後〉

一九五二年四月二八日、敗戦国日本は「サンフランシスコ条約」発効をもって「主権回復」しました。日本政府は残留せざるを得なかった元植民地朝鮮人・台湾人と私たち戦前から古く居住する在日中国人（当時、連合国民）の処遇を外国人登録法の対象としました。旧植民地の朝鮮人・台湾人は日本国籍を離脱し、両国間の正式合意があるまで暫定的処置としての「法一二六号」に、中国人は「一般永住」資格となりました（戦後一九四五年八月在日朝鮮人総数約二一〇万人、台湾籍二四三九五人、中華民国籍四一七三六人）。

しかし、当時日本に残留していた、「日本国民」とされていた朝鮮・台湾の植民地民衆は解放され、新たな時代が到来した訳ではありませんでした。

私たちは「平和憲法」下の日本で、戦時植民地・敵国人として被った不利益を謝罪されることも、補償されることもありませんでした（参照：アメリカ等大戦当時の日系人たちの苦難と戦争後の謝罪、補償等、戦後処理の大きな違いがあります）。

その代わりに、一九四七年五月三日「日本国憲法」施行の前日の五月二日、最後の天皇勅令によって「外国人登録令」が制定され、同日施行されました。一九五二年には「外国人登録令」から「外国人登録法」に変わりました。

戦後、なんの歴史的配慮もなくこうして「日本国籍ではない」を理由に、在日朝鮮人・在日中国人らはことごとく「国籍条項」によって生活の隅々から排斥されたのです（一九八二年難民条約批准まで様々な就職、弁護士資格、国民年金、児童扶養手当、育英会奨学金、公営住宅で排斥された）。

第一章で述べた「解雇撤廃」「国籍条項撤廃」の闘いはこのような状況下で闘われたのです。まさに私たちの「生きる」ための闘いだったといえるでしょう。

うれしい証にこんなことがありました。「国籍条項撤廃」から間もなく、神戸市立病院の助産婦（私が通った民族学校の後輩でもある在日中国人二世）から「あなたの闘いのお陰」の声。それからずいぶんとあとになりますが、大阪市立病院に入院していた時です。ナースステーションのある看護師の白衣の胸に民族名（在日朝鮮人二世か三世だろうか）の名札が。堅い扉を確かにこじ開けたのだと実感し、五〇年前の奮闘を思いおこします。

しかし、予測のつかない大きな闘いのしんどさも経験してきました。あの奮闘の最中、私のもとに届いた嫌がらせ、脅しのハガキ封書は今現在の「ヘイト」となんら変わらず不気味にさえ感じられます。

その後も、様々なところで徐々に「国籍条項」が外れていきましたが、この社会の右傾化によって、この成果はいとも簡単にひっくり返ることも実感しています。

第四章　「指紋押捺拒否」で問うたこと

〈機動隊が襲いかかる〉

一九八〇年九月一日、東京新宿区役所に「指紋は屈辱的烙印」であると全国で初めて指紋押捺を拒否をした在日朝鮮人一世、韓宗碩さん（ハンジョンソク）。このニュースをテレビ画面で見た時は本当にびっくりしました。「ヘェー、こんなこと出来るのか」と。こんな抵抗、想像すら出来ませんでした。

「やっぱり、朝鮮人はえらいなあ」とも思いました。しかし自分では「指紋などもう何度も取られているし今さら」と思い、外登証を持たされ続け慣らされ続けている自分に気がつきませんでした。外登証を持たされていながら、指紋だけをなぜあえて問題にするのかもよくわかりませんでした。

一九八五年五月二日、私たちの学童保育所と交流のある生野区の学童保育所指導員朴愛子（パクエジャ）さんの〈私の訴えとお願い〉という文章を見て、西成の釜ヵ崎近辺に暮らし、障がい児とともに育ち合う学童保育所を運営する私にとっても全く同じ思いでした。初めて同じことを考えている人がいることを知りました。彼女の訴えはこうです。

「指紋制度は決して『民族問題』だけではないと考えています。たまたま在日朝鮮人に対する法律として指紋制度はありますが、日本政府支配者層の考えは決してそうではありません。この日本社会の秩序と安寧のためには目障りな者、やっかいな者、疎外すべき者として私たちが在るということです。それは、『障害者』や部落や下層の者と共にいつでも排除され得るし、そのための管理政策として……」。彼女は一九八二年八月に生野区役所で指紋の押捺を拒否しました。生野区役所からの告発もないにもかかわらず、大阪府警は指紋の押捺拒否容疑で彼女へ執拗な任意出頭の呼び出しを続けていました。出頭がなければ逮捕も辞さないという大阪府警に対し、彼女の呼びかけもあり、一九八五年五月二日、大阪府警察前に多くの支援者が抗議に集まりました。

指紋押捺に反対し、押捺拒否者への警察の捜査に抗議する約六〇人が府警本部あての抗議文を渡そうとしたところ、警官隊の妨害と封鎖でなかなか正面に近づけませんでした。やむを得ず歩道上で抗議文を読みあげ、玄関前まで抗議文を届けようとしたところ、機動隊が一気に襲いかかり、暴力によって私達を蹴散らしました。

倒れかかり、人々の下敷きになって身動き出来ずにいた私もその中で逮捕されました。思いもよらないことです。何が何だか分からないうちに警察署の裏手に引っ張り込まれ、身体検査をされ、車で東署に連行されてしまいました。

こんな事で警察権力が何故やっきになるのか、そのうえ一〇日間の勾留留さえついたのです。不思議でなりませんでした。即日の準抗告が認められ勾留は解かれましたが、三日間の貴重な体験でした。

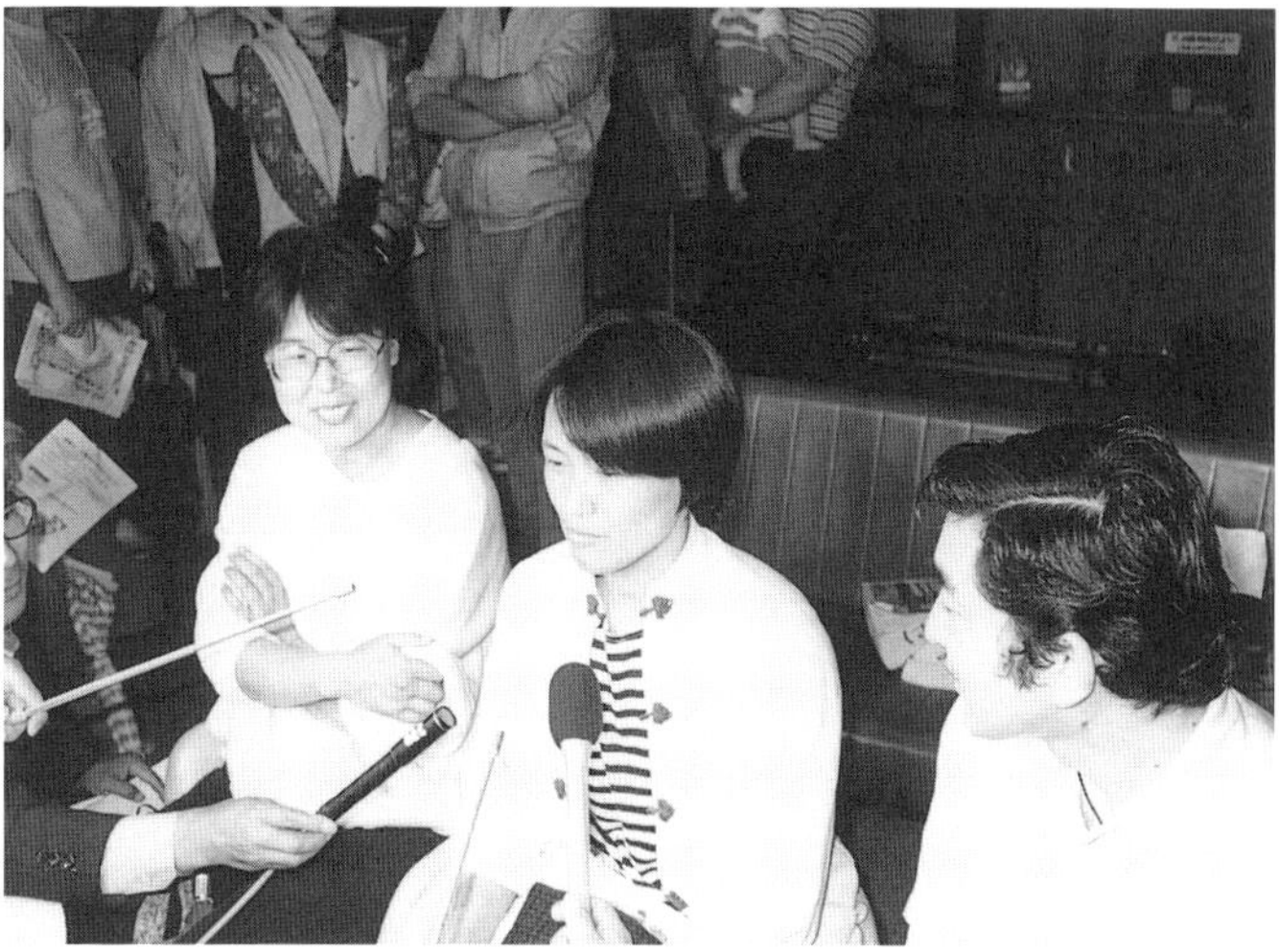

指紋押捺拒否後の記者会見（著者は写真中央、西成区役所で）

拘置所では警察官に「なんじゃ、中国人か、日本に住まわしたってるのに、こんなええ国で何の文句があるのか」と吐きかけられ、拘置所から出てすぐに大阪府警外事課長富田五郎のとんでもない発言がありました。一九八五年五月一〇日、朝日放送テレビで「指紋押捺問題について今後の方針をどうするのか？」と質問した記者へのインタビューの答えは、「指紋押すのがイヤなら国へお帰りになれば……」「それがいやなら帰化の道も」。富田五郎の大きな顔写真入りの新聞記事でした。

この言葉は聞いたことがあります。十数年も前に西成区に移ってすぐ、大阪市から解雇された時に浴びせられたあの言葉です。「不服があるならお国に帰れば……」。大阪市の保育所所長の言葉です。まるで同じです。

この二つの事件で私の目がさめました。韓宗碩さんの指紋拒否から五年後です。一九八五年五月二一日、私は外国人登録証切替申請時に西成区役所で指紋の押捺を拒否しました。在日中国人初の拒否でした。

同じ年の一二月一二日早朝七時、自宅にて外国人登録法違反で逮捕。即日夜遅くに釈放。翌八六年三月に在宅起訴。いよいよ「外国人登録法・指紋押捺制度」を問う裁判が始まります。一九八七年大阪地方裁判所大法廷で第一回公判が開かれ、私がなぜ指紋押捺を拒否したのか、「意見陳述」を行いました。

（※陳述全文は資料編に掲載）

こうして明治の初めより、代々にわたって私たちを縛り続けた「外国人登録法・指紋押捺制度・出入国管理法」との二五年間にわたる闘いは始まりました。

私にとっての「指紋押捺拒否」の闘いをおおまかに整理してみます。

一九八五年　押捺拒否―二度の逮捕、起訴

一九八七年からの裁判。八九年一月、昭和天皇死去に伴い出された大赦令によってこの裁判は「免訴」。司法は結論を出すこともなく裁判を打ち切ったのです。

一九八九年六月　天皇に許される筋合いはないと、裁判史上初の「大赦拒否」の民事訴訟を大

仲間とともに（著者は前列左端、兵庫県ＪＲ尼崎駅前で）

阪地裁に提訴。

一九九〇年　「外登証・世界をめぐる旅」世界に日本版アパルトヘイトを訴え、旅を終えた外登証は当時の首相（海部俊樹）に「こんな登録証はもういりません」と送り返す「返還運動」で締めくくった。それは日本の指紋押捺制度の差別性を世界に訴えるこころみとして行った。外登証を世界各所の友人、旅行者等に託して登録証だけの抵抗の旅。その後外登証を政府に返送することで、外登証不携帯、切替拒否等、抵抗運動を深化させた。私の登録証はアフリカナミビアへ。

一九九九年　法「改訂」により「指紋押捺義務の全面廃止」

二〇〇二年　一三年続いた大赦拒否訴訟は最高裁で敗訴し終結。

二〇〇九年　「改訂」入管法・入管特例法・住基

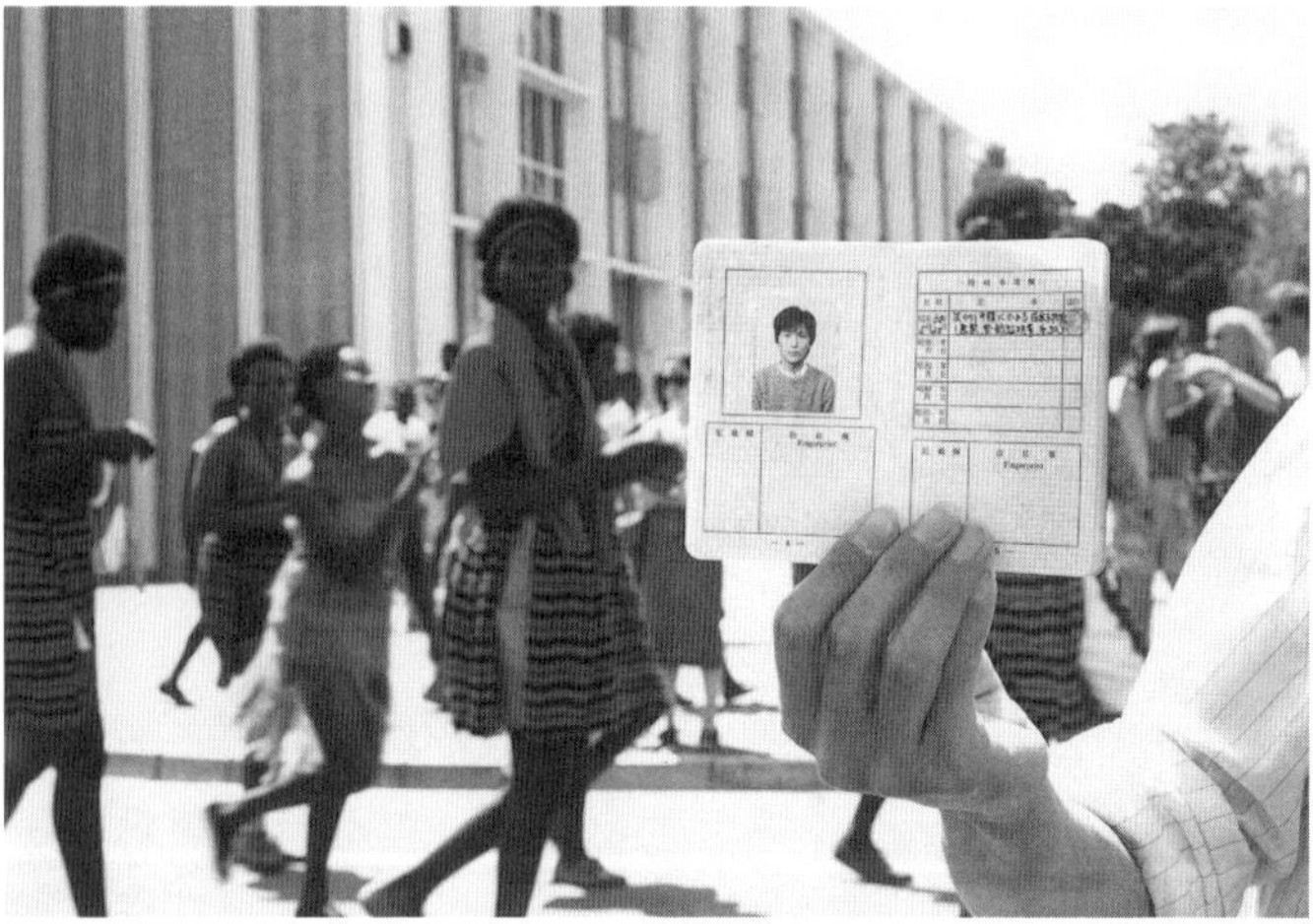

外登証世界をめぐる旅。著者の外登証はナミビアに

法成立、私たち「在日」にとってはほぼ最後の「改訂」とも思われる。この改訂批判と在日中国人の歴史、法的地位などを訴えた金成日（キムソンイル）さん監督映画「一九八五　花であること」上映開始。

以上「外国人登録法・指紋押捺制度」をめぐる二五年間の闘いです。

〈中国見本市「中国商品展覧会」での指紋拒否〉

前記、中国籍で初めての拒否と記しましたが、実は初めてではありませんでした。中国人の「指紋押捺拒否」は一九五五年から始まっていたのです。

まだ国交もなかった一九五五年に東京、大阪で初めての中国見本市が行われました。大盛況で二〇〇万人が訪れた見本市でした。

当時の外国人登録法は六〇日以上滞在で指紋押捺

の義務がありました。六〇日を超過する要員四五名は不押捺のまま帰国しました。その後次回見本市の開催が危ぶまれるほどに指紋押捺問題は国会の場で紛糾しました。その結果一九五八年、六〇日以上をあらため一年以上滞在で指紋押捺の義務へと法改正がなされ、第二回の見本市は無事開催することになりました。

国交回復以降も留学生等は一年以内に一度帰国し、指紋押捺を回避していました。

警察庁の隔年「犯罪統計書」によりますと、一九五七年中国人の押捺拒否者は一三九人にのぼりました。前後一〇年近くの拒否者数は〇～三人程度です。一九五七年の数字はダントツの多さです。見本市「指紋拒否」に呼応したのでしょうか。

〈「満州国」の指紋制度〉

中国人はなぜそこまで指紋押捺にこだわるのでしょうか。

一九三二年、日本は大東亜共栄圏構想のなか中国東北部に傀儡国家「満州国」をでっち上げました。過酷な異民族支配、資源、労働力の収奪が始まります。その手段として有効だったのが当時「最新鋭」の「指紋」でした。

指紋押捺制度は日本の中国侵略と深く関わり、管理に有効な手段として生み出され、進化させ、戦後日本に継承したのです。

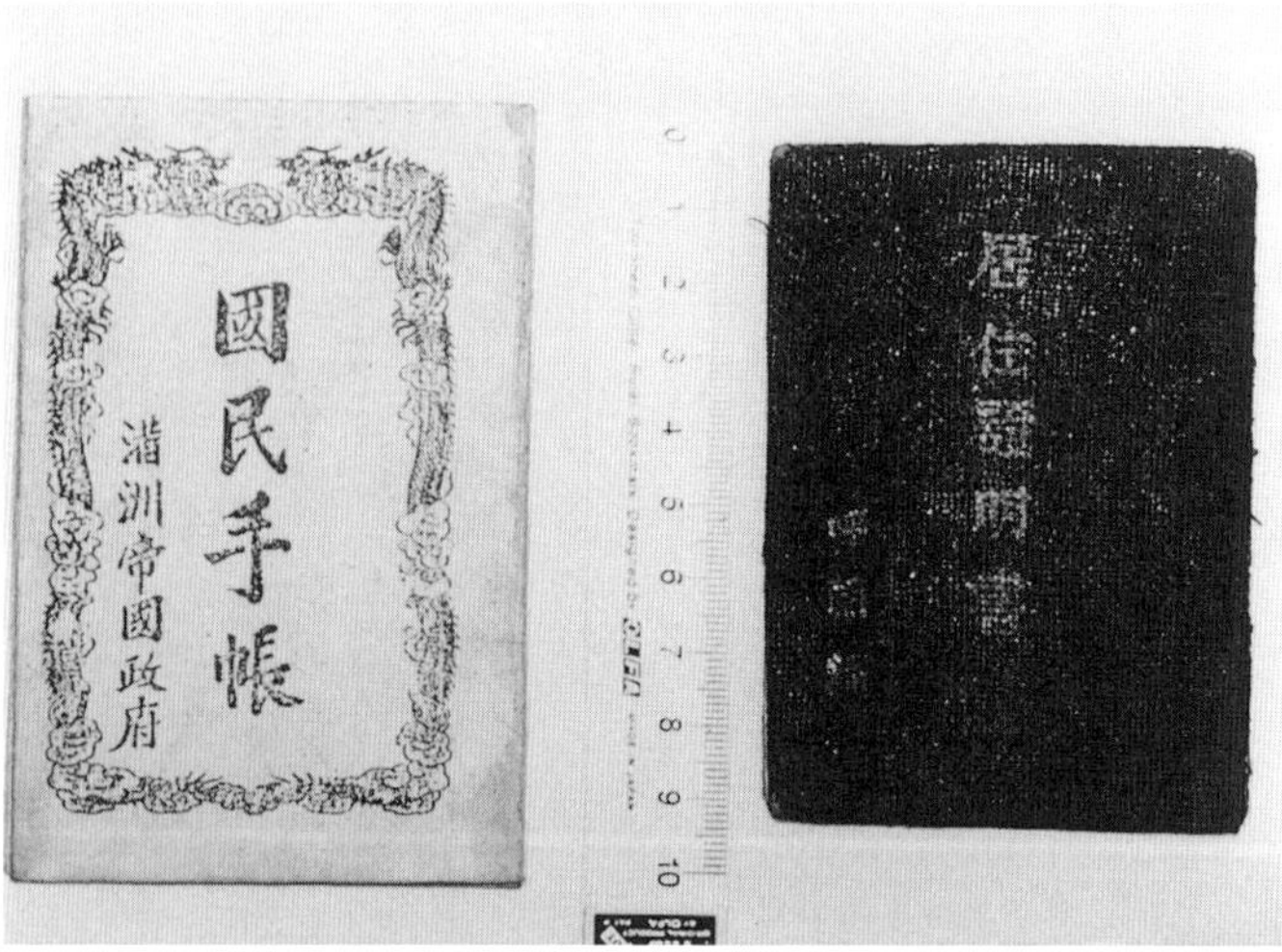

「満州国」発行の「国民手帳」と「居住証」

労働者指紋　「満州国」成立以前の一九二四年すでに撫順炭鉱では全労働者から「指紋」を採取していました。支配管理逃亡防止等々に利用するのが「労働者指紋」です。

効果を上げたこの指紋による管理はこの後、すべての「満州」進出日本企業へと広がり中国人労働者を苦しめました。当時日本企業での多くの労働争議のなかで、中国労働者から出された要求の多くは「むやみに労働者の指紋を採るな」でした。多くの場合は第一項目の要求です。「指紋」制度がいかに非人間的で屈辱的な制度であったかを示しています。

「居住者指紋」　その後「満州国」では様々な名目で、ほとんどの中国人に指紋押捺を強制しました。銃剣のもとに強制されたのです。その最たるものが民衆を抗日軍から切り離す目的でつくられた「集団部落」でした。「集団部落」に収容した朝鮮人・中国人には、「居住証」「居民証」等の証明証に指紋を押させて住民管理を徹底しました。

一九三九年、警察指紋二三万と労働者指紋二〇万を統合し「満州国治安部外局」として「指紋管理局」が設立されました。指紋を管理統括し、中国人の「反満抗日」の抵抗を押さえ、中国全土へと侵略を推し進めました。

「満州指紋」の極々一部を紹介しましたが、戦後も在日中国人らに強制する「指紋」はこうした歴史的存在なのです。さらに、戦後日本の指紋制度は生き残ったこの満州指紋関係者らの手によるものだったのです。

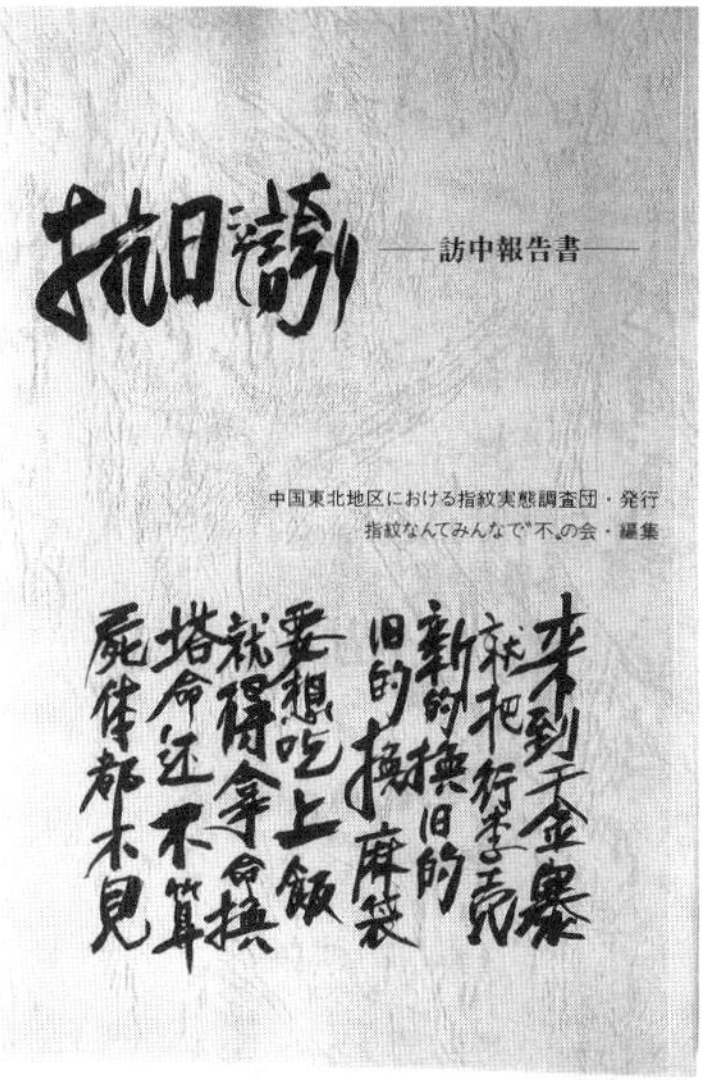

（本頁の写真冊子は一九八七年八月三日から一一日まで「中国東北地区における指紋実態調査を実施、その報告書〈一九八八年八月刊〉）

〈警察指紋制度五〇周年記念式典で表彰を受けた人々〉

『捜査研究』一一三号（一九六一年六月）に掲載されたのですが、この記事から見えるのは戦後指紋制度と「満州指紋」との太いパイプです。

表彰されたのは各地警察庁鑑識課所属の六名ですが、彼らの前歴は「満州国指紋管理局」指紋業務、「満州国指紋管理局」創設に参画、特に指紋資料に基づく治安工作、関東庁警務局で指紋業務に従事、満州国警視庁鑑識課、満州国治安部指紋管理局、指紋制度確立普及に尽力――とあります。

「満州国指紋制度」なしに戦後日本の指紋制度はありません。その指紋制度の底流する思想が戦後精算されないまま生きているのではないでしょうか。


一九八〇年、韓宗碩（ハンジョンソク）さんによるたった一人の指紋押捺拒否行動から始まった外国人登録法撤廃の運動は在日一世、二世、三世……と、世代を結びながら、闘われてきました。一九八五年頃には拒否者、拒否表明者はすでに〝万〟を超える勢いでした。その間政府は何度にもわたる法改正をせざるを得ないところまで追い込まれていました。思い返せば、それは私たちが戦後担ってきた大きな〝民族運動〟の一つであったと思います。それは又今に至るも初めて日本の労働者、自治体労働者、学生、市民と「ともに闘った」実感を残した闘いでもありました。以後約四〇年、大勢から見ればこの反外登法運動は日本人にとってどのような闘いであったのか。反差別運動、人権を求める運動、あるいは過去の侵略戦争の後始末を求める日本人側の運動であったのか。私たちにとっても反外登法運動が、その後の在日の様々な平和運動、反差別運動、人権要求運動等々に活かされたのだろうか。

一九八五年の指紋拒否から始まった私のなが〜い反外登法運動、とくに八六年刑事法廷、八九年民事法廷へと移っての一〇数年間、訴えの内容は、外登法、指紋制度が日本の大東亜共栄圏構想のなか、異民族支配と資源・労働力強奪の有効な手段として生み出され発展し、今日に至っていることを明らかにするものでした。「満州指紋」の歴史的展開と現在の指紋制度への継続を実証してきました。そのために中国東北旧「満州国」跡への訪中団の派遣、実態調査なども重ねながらの立証でした。その報告集は現在も日本帝国の中国侵略と指紋制度の関係、実態を表す貴重な資料として活かされています。残念ながら私自身は指紋押捺拒否の制裁として「再入国許可」が発行されず、この訪中団に参加出来ませんでした。参加した二人の息子は初めて中国の地を踏み、日本による侵略戦争の跡を見、感じてくることが出来たようです。

〈天皇〝恩赦〟による裁判の強制打ち切り〉

裁判で立証してきた通り、日本の他民族侵略の国策は当時の天皇制との深い関係の上に成立してきました。日本の天皇制が犯してきた植民地政策の告発でもあったのです。

ところが、闘いも終盤に入った一九八九年、この戦犯ヒロヒト天皇の死去によって、その〝遺

1989年6月1日の全国集会で「大赦拒否」を訴える著者（横断幕前檀上で）

徳〟をしのぶ〝恩赦〟対象に外登法〝違反者〟が組み込まれてしまったのです。私たちの闘いは〝免訴〟によって圧殺されてしまったのです。当時盛り上がる外登法裁判の司法判断が限りなく「無罪」に近づいている事への懸念による、政府のウルトラ決着がこの「天皇による恩赦」、強制的裁判の打ち切りだったのです。

当時、全国で裁判中の三三〝被告〟は、全員が〝恩赦〟拒否の声明に連名しました。個別にもさまざまな抵抗を試み、個別の恩赦拒否の意思表示記事は毎日のように新聞紙上に掲載されていました。一九八九年一月一三日毎日新聞、一月一四日毎日・東京・中日各新聞、一月一五日神奈川新聞、等々。法廷での拒否意思表示であったり、裁判官忌避であったり、判決法廷への出廷拒否であったり、免訴抗議に区役所前で外登証を焼き捨てたり、

荒れる法廷も度々でした。それぞれ精一杯の抵抗を試みました。（声明は資料編に掲載）

私は、約五年の公判で魂を込めて外国人登録法、指紋制度とは何かを立証してきました。その努力を踏みにじる「恩赦免訴」判決をなんとしても法廷で聞きたくはなかった。一〇数回もの「判決言い渡し」公判の出廷を拒否し続けました。

一九九〇年九月一八日いよいよ大阪地裁での法廷が開かれました。私は法廷には入らず、裁判所前で待機していました。傍聴席からの「大赦粉砕」の声が響き、騒然とした法廷に裁判所は多くの警察を導入し、そして傍聴者四〇名全員を退廷させ、一人を不当にも監置しました。

文字通り空っぽの法廷で「被告人を免訴とする」と言い渡したそうです（本来刑事事件一審は被告不出廷での宣告はできない）。くしくも宣告は日本の中国侵略の口火となった同じその日、九・一八（柳条湖事件）。日本の政府・司法は私を「天皇恩赦」の前に引きずり出すことは出来ませんでした。

こうして一九八九年六月一日、〝被告〟（十三名）の座から原告の座に座りなおし、日本政府を相手に「大赦拒否訴訟」を提訴しました。

訴えの内容は

（一）指紋押捺強要による損害

告発の脅し、再入国不許可、登録証への「不押捺」記載等をもって、プライバシー権にかかわる指紋押捺強要の人権侵害。
（二）捜査権行使による損害
刑事罰への恐怖、任意出頭、逮捕等、精神的経済的苦痛を被った。
（三）免訴強要による損害
裁かれるべきは天皇制であるにもかかわらず、天皇恩赦によって裁判を受ける権利（無罪判決を受ける権利）を強制的に奪われ、精神的苦痛を被った。

裁判の争点
（一）指紋押捺制度の違憲性
［原告］指紋押捺制度は、人格権を保障した憲法一三条、及び「品位を害する取り扱いを禁ずる国際人権規約」に反する。又、基本的人権の保障は、当然外国人に及ぶ。

［国］人格権も「公共の福祉」により制限される。外国人は憲法上、日本に入国し、在留する権利は保障されておらず、基本的地位に差異がある。
（二）指紋押捺制度の治安管理的性格
［原告］現行の制度は偽「満州国」の指紋制度に由来し、その民族差別と治安弾圧的性格を引き継いでいる。戦後も犯罪捜査に利用されてきた。

［国］戦前の制度とは関係なく、在日外国人の実態把握のための手段に過ぎず、警察も原則とし

日　新　聞

「逆行の動き、納得できない」

外国籍住民を一元管理
入管法改正案に反対
あす市民団体がデモ

法務省が外国籍住民の在留情報を一元管理する入管法改正案などに対し、府内の在日外国人や市民団体などが「外国人を監視し、分断・差別や人権侵害を招く」と反発している。既に国会審議が始まっており、大阪市内で9日、廃案を訴えるデモ行進をする。

新しい在留管理制度は、短期滞在（90日以内）や特別永住者（在日コリアンら）を除く中長期滞在者に、ICチップ内蔵の在留カードを交付。顔写真や氏名、生年月日、在留資格、期間などの情報を記載させ、さらに外国人が所属する企業や大学、日本語学校などに就労・就学状況の報告を義務付け、法務省が情報を集中的に把握する。

カードの常時携帯や居住地を変更した場合の届け出を怠れば刑事罰を科し、在留資格取り消し理由になる場合もある。

入管法改正案反対のチラシを配る徐さん＝大阪市役所前で

在日中国人2世で「永住者」の在留資格を持つ徐翠珍さん(62)＝大阪市西成区＝は「戦前から日本に溶け込んで生活している私たちが、いまだに住民として認められない」と憤り、チラシ配布の活動を続ける。

徐さんはかつて、外国人登録の更新時に指紋押なつ(99年全廃)を拒否して逮捕された。「現行の外国人登録証の常時携帯や切り替えがなくなり、地方参政権も得られるようになると期待したのに、全く逆行する動きは納得できない」と話す。

デモ行進は、午後3時に同市西区新町1の新町北公園（大阪厚生年金会館南側）に集合。御堂筋を通って中央区難波5の高島屋大阪店までの約2キロを歩く。問い合わせは、主催のカトリック大阪シナピス（06・6942・1784）。【立石信夫】

「改訂」外登法反対でビラをまく著者（『毎日新聞』二〇〇九年五月八日記事より）

て指紋原票を利用できない。

（三）恩赦の違法性についても、国は「不幸にして罪を犯した者に更正の機会を与え」などと居直っています。

裁判はこのような争点で、八〇年から開始された指紋押捺制度の違憲性、在日韓国・朝鮮・中国人の歴史性を軸に、指紋押捺拒否運動に対する弾圧政策総体を告発する場としても展開しました。

外登法の違憲性については、ここ一〇数年来の多くの裁判で立証してきた各主張の集大成としてまとめられました。どの原告も地域に根を張り生きています。指紋拒否後も「逃亡の恐れ」「証拠隠滅」どころか堂々とマスコミにも顔をさらしているのです。逮捕の違法性についても、警察権力がいかにデタラメに、違法に、運動つぶしのために逮捕を強行してきたかを明らかにしてきました。

一審は三七回の口頭弁論をもって終結しました。提訴より一〇年が経過していました。一審判決は、一三名原告中六名のみ「逮捕は行き過ぎ」と原告一部勝訴となりましたが、その他はすべて被告国側の主張を認めた不当判決でした。その後、控訴上告と進んだものの「大赦拒否訴訟」は、一三年の年月を費やし完全敗訴で終結しました。

「外国人登録法」をめぐる長く熱い闘いは、一九九九年の法改正で指紋押捺義務の全面廃止を勝ち取り一つの区切りとなりました。

〈現在の法的地位〉

この画期的な法改正から一〇年経過した二〇〇九年三月、政府は「入管法、入管特例法、住民基本台帳法」の改定案を国会に上程し、二〇一二年施行となり、「外国人登録法」は廃止となりました。戦後一九四七年制定の外国人登録令、一九五二年の「外国人登録法」、悪名高いこの法律は制定より約六五年でやっと廃止となりました。しかし、新しいシステムは相も変わらず「外国人住民」は「管理」の対象です。ＩＣカード携帯による監視強化はさらに厳しいものになっていました。

「改正」入管法によると、外国人は「特別永住者、中長期在留者、非正規滞在者」と分類されます。〈特別永住者〉は「植民地支配の結果、日本に永住することになった」人々とその子孫ですが、その処遇はＩＣチップ付き「特別永住者証明書」による罰則付き提示義務、七年切替義務など厳しい管理の網の中です。

〈中長期在留者〉は三ヶ月以内の短期滞在者、特別永住者を除く外国籍住民、在留期間が無期限の一般永住者もこのジャンルにはいります。世代を超えて、在留一〇〇年にもなろうという在日華僑もＩＣチップ付き刑事罰・罰金付き、常時携帯の「在留カード」を常に携帯させられます。

提示義務、更新、住所、職場などの届け出などきめ細かく国家による一元管理をされていきます。

〈非正規滞在者〉は在留資格を持たないで日本国内に在留している外国人のことです。超過滞在者、仮放免中、「不法入国者」等。彼らは人として最低限の権利を得ることさえ大変な状況におかれています。

二〇一九年四月からの「改正」入管法の目玉は新たな在留資格の「特定技能」等です。これらは明らかに日本の労働力、人手不足対策でしかありません。今の政府には外国人労働者を人としてこの社会に受け入れる素地はありません。増えていく外国人住民たちの「人権」は守られていくのでしょうか。心許ない限りです。

第五章　欠けた民主主義

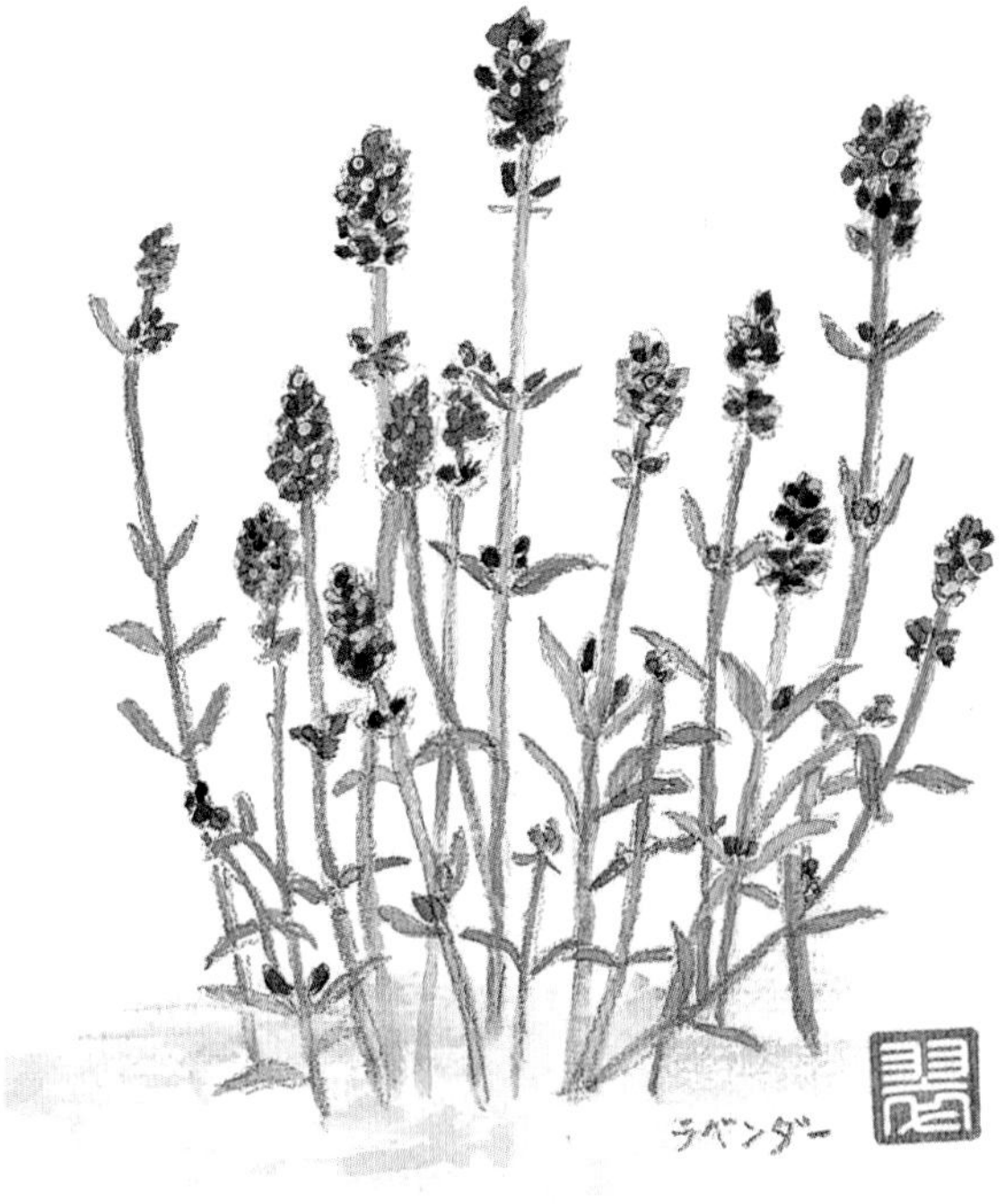

〈共に生きる社会とは〉

「国籍条項」撤廃の運動で積み残した諸問題はその後、次世代の大きな課題として残されています。「外国人登録法」「指紋押捺」問題は多くの人々による様々な闘いを経て一九九二年に永住者の押捺廃止、一九九九年には押捺制度の全廃、二〇〇九年には「外国人登録法」の廃止を勝ち取りました。もちろんこの制度廃止は一歩前進でも何でもなく、外国人管理制度の一層の巧妙化でしかありません。日本の戦後処理問題も、外国人・移民政策も戦後から今に至るも一貫しています。私が遭遇した「国籍条項」問題や外国人登録法・出入国管理法問題の闘いから見えてくる事実からも明らかです。現安倍政権はますます排外的政治を推進、助長させ、政府主導の排外ナショナリズムは民衆へと大きく広がりつつあります。

私たちも含め、外国人の「人権」も大きく左右する日本の政治状況は危機的な状況です。テロ対策、「北」の脅威、中国の脅威などの口実で日本の世論はぐらぐらと右傾化、政府主導のヘイトに民衆もたやすく加担。かつて私たちが杞憂したとおり、在日朝鮮人・韓国人、中国人の管理監視の制度はその後、システムは進化しつつ巧妙に実用化され、今や日本総体が監視社会です。「戦争法・秘密保護法・共謀罪」など、かつての治安維持法、スパイ防止法は復活し、言論の自由は危機に瀕しています。侵略戦争を止められなかったあの戦前の日常を想像してしまいます。「憲法九条」も風前の灯です。あの侵略戦争の戦後処理をおろそかにした代償がこの危うい「平和」だったのでしょうか。

日本社会の「平和」は共生する私たち外国人市民の「平和」に直結しています。「在日華僑」二世、こんな中での半世紀を超える私のささやかな闘いですが、結果的に日本の「民主主義」を繕う一端を担ったのではないでしょうか。「国籍条項」、「外国人登録法」「入管法」の闘いは「在日」の生存権獲得の闘いであると同時に日本民衆の民主主義を獲得する闘いでもあったはずです。

戦後日本は朝鮮半島や台湾など旧植民地出身者からは一方的に国籍を剥奪し、「戦勝国」であった在日中国人も含めて、徹底した監視管理、様々な差別政策のもとに放置してきました。すなわち日本の戦後の民主主義は日本国憲法の下で「国民」＝日本人以外の民を切り捨て、排除したまま始動したわけです。二〇一九年の今も欠けたままの民主主義です。民主主義を繕い、戦争のない社会を築くのは今や私たちの責務でもあります。「共に生きる」とは共に「築く」ことではないでしょうか。

今、歩み出した東アジアの和平、一進一退とはいえ、やはり大きな光です。この光を守り、築くのも私たち「在日」も含めた「民衆」です。「共に生きる未来」しか私たちの選択肢はないのです。

「差別」と「排斥」の中、強者への「同化」ではなく、私たちに築ける新しい歴史があるはずです。多民族共生、多文化共生とは日本とアジアの歴史を見据え、共に共通の歴史認識を基礎に築き上げるものではないでしょうか。

〈あれやこれや〉

移民の受け入れ、共生の長い歴史を持つヨーロッパでも、今、「共生」は大きな壁にぶつかっている時です。

ヨーロッパ、アメリカ等では移民問題、マイノリティー問題は民主主義や市民権を考える上で避けては通れない問題なのでしょうか。ところが日本はどうでしょうか。所謂リベラル市民運動に関わる者ですら、多くの渡日労働者の問題が眼前にあっても、それは「市民権」や日本人の民主主義の問題としてはとらえていないのが現実ではないでしょうか。それどころか日本の元植民地民衆「在日」の市民権問題すら日本人自身の「民主主義」に関わる問題だという認識は希薄です。

かつて、六〇年代後半から七〇年代にかけての雪崩を打ったような「在日朝鮮人・韓国人」あるいは中国人たちの生活権・生存権要求の闘い、その後八〇年代からの外国人登録法、出入国管理法をめぐる指紋押捺義務撤廃運動等は、まさに共生を見据えた「市民権」獲得の運動でした。

私たちがやっと獲得したものは、人間として生存するための最低限の権利である社会福祉、国民健康保険・老齢年金の加入、公営住宅の入居の資格等。就職差別等の撤廃はまだ門が少し開いただけ。それからほぼ三〇年、あの一連の闘いは私にとっては日本社会に生きる覚悟の確かめと、自分が生きる社会を変革する主体への一歩であったような気がしています。一方、その頃ともに闘った多くの日本人にとってなにが残ったのでしょうか。「在日」たちの運動の「支援」の域を超えたでしょうか。

実際のところ、六〇年代の闘いが始まった頃、「在日」の置かれている現実を知らないでいた日本人のなんと多かったことか。身近な友人でさえ「えー、健康保険に入れないの？」「市営住宅申し込めないの？」「選挙権ないの？なんで？」と言った具合でした。日本人自身の民主主義の問題だと思い至ったでしょうか。


〈欠けた民主主義〉


侵略戦争絡みの「在日」を含め、今や日本に在住する外国人は二〇〇七年の統計でも二一五万二九七三人総人口比一・七％（二〇一八年二五六万一八四八人、総人口比は二％強）です。外国人総数の内七七％は永住者です（永住者、その配偶者・定住者など）これから年々外国籍住人が増えるのは言うまでもないのですが、しかし彼らは本当に日本の住人として、市民として、対等に生きられるのでしようか。

ヨーロッパでは、外国人人口が二割、三割にも達する大都市で、彼ら外国人の政治参加が無ければ民主主義は機能せず、市政のデモクラシーは成立しません。それは欠けた、不完全なデモクラシーだと言いきっています。

ちなみに現在東京都は人口の三％、大阪は二．四％（〇七年統計）が外国人住人です。となると「外国人住民」という観点からだけでも、東京の民主主義は三％、大阪の民主主義は約二・四％欠けた民主主義ということになるでしょう。

〈「多民族共生国家」を目指す日本？〉

労働力がどんどん減少する「人口危機」の深刻さを前に、二〇〇八年、自民党の外国人材交流推進議員連盟から「日本型移民政策の提案」が出されています。

「移民一〇〇〇万人受け入れ」だそうです。これは欧米先進国の移民比率の一〇％をめやすにしたもので、移民政策の内容的にもほぼヨーロッパのものを参考にしているようですが……。しかし自民党は、ヨーロッパの移民政策が過去の侵略、植民地政策の反省と補償と真摯に取り組んだ戦後処理の上に、そして長く育んだデモクラシーの上に成り立っていることを見落としてはいないでしょうか。日本が多くの移民を迎え、「多民族共生国家」になるには、今からでも歴史認識を正し、戦後処理を正しく見直していくべきでしょう。自衛隊の田母神俊雄前幕僚長（当時）が「日本政府は集団的自衛権を容認すべき」とした論文を政府見解に反する見解を自衛隊最高幹部が公に発表出来るような国では自民党の皆さんの期待するような「世界の若者が移住したいと憧れる国」にはほど遠いでしょう。

どちらにせよ、近い将来外国人住民が一〇％になることはあり得ない話ではありません。（外

国をルーツに持つ「日本国籍住民」も含めれば一層の数になるでしょう）

日本人の受け入れの意識が変わらない限り日本の民主主義は一割どころか大いに欠けたものになります。

様々な民主主義実現の運動の担い手が「在日」の運動、現在の「外国人労働者たち」の権利闘争などを日本の民主主義確立のための自らの闘いとの連動として視野に入れていくべきではないでしょうか。市民運動の根底的な視点だと私は思うのですが、いかがでしょうか。

（二〇〇八　ＳＯＲＡ通信二号―これは二〇〇八年の一編です。二〇一九年最新改訂入管法との対比を）

第六章　つれづれにあれやこれや——そのI

〈「靖国合祀イヤです訴訟」加害者・被害者の出会い―「私たち」が変え得えなかった母の「日本人観」〉

二〇〇八年の五月二九日夕方、私の母は九六年の生涯を静かに閉じた。一九一二年中国の上海に生れ、わずか七才で製糸工場の童工（幼年工）となり、以来二〇年近く労働争議、ストライキ、ゼネスト、と反日・抗日の嵐ふく租界上海で製糸女工として働き続けた。母が中国上海を離れたのは一九三六年、麦畑が一面新緑の頃だった。以来約七〇年の月日を日本で重ね、日本の土になるのである。

七〇年の日本社会の中で、母はついに最後まで「日本人観」を変えることのないままだった。母の青春期の上海は一九三二年上海事変、一九三七年第二次上海事変、と日本の引き起こした動乱の中にあった。日本軍に村を追われ、母は戦乱をくぐり生き延びた。焼き付いた「日本人像」は消えることがない。戦後六〇数年、この日本社会はついに母の「日本人像」を変え得なかった。

さて、母の納骨も済ませた数日後の六月一〇日、私も事務局の一人として関わっている「靖国合祀イヤです訴訟」原告尋問の日である。傍聴者・傍聴券の整理、資料の配付等々、忙しく立ち回る。この裁判の原告は九名、その証言はそれぞれに深く心の芯に迫るものだった。とりわけ私の心を捉える木訥とした農民原告（石川県加賀の地で営々と大地を耕す）西山誠一さんの証言。

「私は、父が加害者であっても、また被害者であっても、父に対する敬愛の気持ちは変わりません。私は父を敬愛するからこそ、父が戦争に参加したことの意味を考え続けていこうと思っています。父が戦争に参加し、中国の人々の殺戮に加担したこと自体否定できません。しかし、私は、その事実は事実として、これを将来の平和を実現することに向けて考えていきたいのです。それが私の父に対する敬愛追慕の具体的な発露だと思っています。」

・西山政勇さんは上海で私の母に出会いましたか？

西山さんの父西山政勇さんは召集され（正確な年月は不明）、中国戦線に参加し、一九三二年一月、第一次上海事変に参加していた。その年二〇才だった私の母は上海の製糸女工で、上海郊外に住んでいた。上海事変の最中、母は上海市内の工場から日本軍に接収された自分の村をめざし封鎖をかいくぐった。日本軍に銃剣を突きつけられ、難民収容所へ。銃弾で傷ついた人々、死んでいく人々・・・、この上海事変の光景を下地に、その後の日本社会の有り様が重なり、九六年の記憶として母の「日本人像」をつくりあげた。

西山政勇さんは当時二二才、彼は上海のどこかで私の母と出会っていただろうか？

これは西山誠一原告が、父政勇さん所属部隊の戦闘経過を整理した記録の中の一行です。

これは一九三七年、第二次上海事変の一〇月五日の記録

第三中隊、●●橋●宅付近の戦闘に参加（〜一〇月七日）（●は判読不能の字です）、とある。

一九三七年、母はすでに渡日していたが、母の村に入る小さな橋は「屈家橋」と言う。母の村を破壊したのは……？

そして、西山政勇さんは上海、南京と転戦、徐州で銃創を受け、その後三〇才で戦病死。「英雄」として受勲、一九四二年天皇のための「功績」をたたえられ、「靖国の神」になった。

西山さんはこの父の死を取り巻く歴史を見据え、その死を真摯に捉え返す作業を続けておられる。三〇才で死なざるをえなかった父が出来なかった「捉え返し」を。

・母は西山さんの父に出会っただろうか……？

今、この「靖国合祀イヤです訴訟」で、私は西山さんたちに出会っている。母を通して心に刻んだ、侵略された者、蹂躙された者の憎しみ、悲しみを忘れてはならない。しかし母から私にバトンタッチされたのは「憎しみの継承」ではない。そんな確信を持たせてくれたのは、悲しみと慚愧の念をふつふつとさせながら「殺し合わせるもの」に向かい合うこの訴訟の原告たちとの出会いである。

しっかりと歴史の継承をしてくれた母に感謝。そしてこの訴訟が私たちにとって「今を共に生きる」大きな道しるべになりうることを願ってやみません。

（二〇〇八年八月『一七〇〇誌[5]』一一七号）

〈ナショナリスティック市民運動はいや！〉

市民共同オフィスＳＯＲＡ立上げによせて[6]

戦後間もない日本に生を受けた中国人の私。戦争の痛みを身近に感じ、又「平等な社会をめざす」とやらを何となく身近に感じながら年を重ね、もう半世紀を大きく超してしまった。特に成人後、長い時期、日本の市民運動にも関わりながらこの社会を見てきた。と言っても子どもの頃にはいつも射るような鋭い目つきで「日本人」を見ていたのですが。この鋭い目を変えてくれたのは、特に近年関わってきた反天皇制問題や、靖国訴訟の中で見えてきた加害者になってしまった、されてしまった者たちの苦悩と、そんな身内の死を受け止めねばならない「悲しみ」との出会いである。「何を甘っちょろいこと言ってるのか」と言う声も聞こえてきそうであるが、私は思うのです。はたしてあの時代に私が生きていたならば、革命戦士の詩ではないけれど、

・戦争根絶には「忠君愛国の四字を滅するにあり」（安藤正楽）
・手と足をもいだ丸太にしてかえし（鶴彬）
・これに増す悲しきことの何かあらん亡き子二人を返せ此の手に（小谷和子）
・ああ戦死やあわれ　兵士の死ぬるやあわれ　こらえきれないさびしさや　国のため　大君のため　死んでしまうや　その心や（竹内浩三）

このような詩歌を心に刻めるような人間でありえただろうか、と。

再び戦争が身近に迫ってきている今、「私」たちはいつその被害者になるか、加害者になるのか。「傍観者」「物言わぬ者」としての加害者になってしまうのがおおよそだろうが……。

「加害者・被害者」どちらにもなりうる自分の立場性を自覚しつつあえて「私たち」と表現するが、私たちは決して「傍観者」「物言わぬ者」になってはならない。

市民運動の寄り合い場をつくりたい、と思い立ったのだが、それは「場」を作りたいのではなく、市民運動、自覚的市民、市民を構成する「私たち」「わたし」を模索したいのである。

戦後六〇数年、社会の主人公であるはずの「民」はその自覚と責任を持っていただろうか？市民、民であるために「国民」から脱することを真剣に模索してきただろうか。天皇制や靖国思

(5)　**『一七〇〇誌』**　一七〇〇名もの原告が名を連ね一九九〇年に提訴した「即位礼・大嘗祭」違憲訴訟は、一九九五年の控訴審で敗訴ではあったが、即位礼・大嘗祭は憲法の政教分離違反、国民主権原則違反の疑いありとの判決で確定。この時の勇気ある一七〇〇名を記念し、次なる「即位礼・大嘗祭」に向けて「反天皇制市民一七〇〇ネットワーク」を結成した。この会のミニコミ誌として、年二回の発行を継続している。現在四七号まで発行。（著者は一号より編集担当）

(6)　**市民共同オフィスSORA**　「SORA」は二〇〇七年「非暴力・反戦・反差別・平和」を理念に、市民運動交流の場、新しい人、新しい運動との出会いの場として、市民の「声」こそが社会を作り上げていく機動力である事を自覚し、開設した。二〇一九年現在、運動体の連絡先、デスク事務所、作業場、会議室等々、三〇数団体の利用がある。（著者は共同代表として現在にいたる）

想が生き続けてきたゆえんがここにあるのではないだろうか。そんな事を思いながら、市民運動の無力感を感じてしまう今日この頃である。たった一人でも、「ノー」と言える「わたし」が一人でも増える社会をめざして。

いよいよの時に理屈をこね回し、自分を正当化して戦争加担していく「私たち」にはなりたくないものです。今こそ歴史を教訓にし、私たちの社会変革の運動が、ナショナリスティック市民運動、労働運動等になっていくことがないよう、心して格好悪く「非国民」を貫きたい。

（二〇〇八年「SORA通信」一号）

〈チャイニーズテイラー　my rootsから見てみると（移民の受け入れ、多民族共生社会実現のために）〉

二〇〇九年七月七日、ほんの一握りの人々の反対運動の中、マスコミの取り上げもほとんどなく、こっそりと「入管法・入管特例法・住民基本台帳法」の改訂案が国会を通過しました。この法改正の当事者はもちろん日本に居住するすべての人々である。しかし、

①日本人は「テロ対策でしょ。外国人は何をするか分からないからねぇー」。何らかの市民運動

に携わる人々ですら「私たちとは余り関係なさそう！」「そんな事くらい分かっているさ。でも課題が多くてこんなのまでかまっていられない」とそっぽ。
②在日韓国人が大多数を占める「特別永住者」は、まあ、そんなに悪くもないだろう。悪名高い「常時携帯制度」や「刑事罰」は一部緩和されたし、「再入国許可制度」も緩和され、まあ、良いんじゃない、とかなんとか。
③「中長期在留者」の不安定な「在留資格」では抗議の声など上げることもままならない！　なぜか理屈もなにも有ったものじゃない「中長期在留者」ジャンルに組み込まれた「一般永住者」はこの理不尽さに黙りを決め込んだ。かくしてこの法改訂案は成立。二〇一二年には施行実施。
さて、私は③。この法改訂に反対の声を上げる中で、今更ながら気が付いたのです。誰も私たちの存在を知らない！　日本に居住する在日中国人は今や約六五万人。この数をひとくくりにする中で私たち四万の華僑の存在は消える。その歴史性は抹殺される。ことさらそれを主張することもないだろうと思って今日まで来たが、いや、ないがしろにされては困る。今後新たに日本にやって来る多くの移民労働者たちの異境で「生きる権利」主張のためにも日本における移民労働者のはしりである華僑・華人たちの歴史を今こそクローズアップすることの意味は大きい。

我がルーツ「チャイニーズテイラー」

江戸時代長崎出島の来日中国人はさておいて、一八六七年、明治維新「新生」日本の出発より始まった中国人の渡日。それに伴い明治政府は中国人の登録、動向把握、取り締まりとその管理のために様々に試行錯誤。

一八九九年四月「内地雑居令」によって中国人らの日本国内での移住・定住が可能になる。それまでは清国民等の居留地以外での居住・労働は禁止。日本で初めての外国人登録制度を実施。管理監視のターゲットは大多数の中国人。

「内地雑居令」によって混住は認められたが、職業の規制。新しく渡来する中国人に許可された職業は三把刀（用語説明は第三章参照）と行商雑業のみ。

※一八七二年（明治五年）明治政府は太政官発令第三七三号を以て「爾　今礼装は洋服を着用する事」と布告

では、なぜ中国人が「洋服」の技術者であったのか。中国で、もともと仕立て技術を代々村内で伝承してきたのが折江省寧波の幾つかの村でした（寧波は地理的に上海の隣）。

一八四〇年アヘン戦争以来、中国は上海を中心に、まさに「犬と中国人は立ち入り禁止」の看板が掛かる公園に象徴される西洋列強の半植民地・各国の租界と化したのです。西洋人の闊歩する上海で、彼らの洋服仕立ての技術を学んだ寧波、上海の人々は村内で代々その技術を伝えると同時にその技術を携え海を渡り、横浜・神戸・東京、再び上海、行きつ戻りつ、その技術を発展させながら独自の財産としたのです。

かくして日本の移民労働者のルーツは「近代化」日本の文化面の大きな支えであったのです。以来一五〇年近く、私たちのルーツはこの三つの刃物を財産に日本に技術を伝えながら営々とこの地に生きてきたのです。

その間、一八九四年の日清戦争、一九三一年以来の中国侵略戦争と長い戦時下、日本の敵国人としての居留は敵視、排外、凄まじい弾圧の連続でした。一九二三年関東大震災時の中国人七〇〇名以上の虐殺。一九三七年、在日中国人の管理統制を強化、三三六人の在日中国人を逮捕。翌年には三九四人をスパイ容疑で強制送還。多くは衣料品や雑貨類を背中に背負い、辺鄙な村々を行商して歩いた中国人たちでした。(「くまなく歩いた」事でスパイの疑惑を掛けられたのです)

一九四五年各地の空襲では多くの中国人も死亡(神戸空襲では一八〇名)。多くの「華僑挺身隊も工場等で死亡。そして日本の敗戦。

青春は「平和憲法」下?

第三章の〈「平和憲法」から除外された戦後〉と繰り返すことになりますが、私が神戸で三把刀の一つ、洋服職人の父母の下に生まれた一九四七年以降の歴史を記す。

当時の残留中国人総数は約六万人で、一九五二年残留せざるを得なかった元植民地朝鮮人・台湾人と私たち戦前から古く居住する中国人の処遇を外国人登録法で決着させた。前者は暫定的に「法一二六」、現在の在留資格は「特別永住者」。後者、私たち植民地ではなく元敵国人(連合国国民)は「一般永住者」。当時その人数四二一四七人。この数字の中に子どもの登録者数も入っているかどうかは定かではないのですが、戦後の私はこうして登録されたのです。

以来、「平和憲法」下の日本で戦時敵国人として被った不利益を謝罪されることも、補償されることもなく。その代わり、「日本国籍ではない」を理由に職場を追われたり、過酷な「外国人登録法」の改正を求める声を上げるとお上から「逮捕・勾留」され、日本の「国民」からは何通もの「国へ帰れ!」「生意気だ、日本に住みたければ郷に従え!」などの「ラブレター」が舞い込んだ。

健康保険や国民年金や、もろもろの社会保障からも除外され、「平和憲法」下であるはずの青春はほろ苦い。

※一九八八年アメリカ等では「市民的自由法」に基づき、戦中、強制収容等迫害、不利益を与えた日系の人々に大統領が謝罪し、補償を行った

（二〇〇九年一二月『一七〇〇誌』一二七号）

〈映画「一九八五年　花であること」によせて〉

花であることでしか
拮抗できない外部というものが
なければならぬ
花へおしかぶさる重みを
花のかたちのまま
おしかえす
そのとき花であることは
もはや　ひとつの宣言である
ひとつの花でしか

1　1946年9月30日第三種郵便物認可

つながる/ひろがる/フェミ・ジャーナル

ふぇみん

WOMEN'S DEMOCRATIC JOURNAL femin ふぇみん婦人民主新聞 No.2981 2012/02/15 ［毎月5, 15, 25日発行］

contents

映画『1985年　花であること』の

「管理」のまなざし はねのけて

徐翠珍さん Xu Chizhen

「永住で、日本生まれで、まったくの…」

「指紋は取りますけれど」

真っ暗な画面に声の押し問答だけが続く。

2010年7月、関西国際空港入国ゲート。徐翠珍さんは両人さし指を差し出した。在日中国人としては初めて外国人登録証明書（外登証）の指紋押捺を拒み、裁判をたたかってきた徐さんにとって、28年ぶりに取られた指紋だ。

「残念…。残念という言葉しか出なかった」

1980年代の押捺拒否のうねりに後押しされるように完全撤廃された指紋が「テロ対策」のもと、復活している。「同時多発テロ」が起こった米国に次ぎ07年、日本版「US-VISIT」が始まった。特別永住者を除いた外国人に、入国審査時の指紋採取と顔写真撮影を義務づけた。以来、海外に出ることを徐さんはためらっていた。

徐さんの人生の節目は、指紋にまつわる記憶とともにある。

指紋をめぐるやり取りから導かれる映画『1985年　花であること』は、徐さんらと指紋押捺拒否をたたかった在日朝鮮人2世の金成日さんが監督をつとめた。戦前から日本に暮らす老華僑の歴史が、徐さんの個人史と重ねて語りだされる。

いま、徐さんの心を占めるのが改定入管法のことだ。新たな在留管理制度として今年7月から施行される。国による外国人管理の一元化が、大きな変更点だ。

徐さんは「一般永住者」から「中長期在留者」となり、在留カードの常時携帯義務が課される。20年以上、外登証を持たずに生きてきたが「これまで積み重ねてきた在日のたたかいが、なかったことにされてしまう」と、法成立直前の09年夏、仲間と反対の声をあげた。雨中、大阪の街を200人がデモ行進した。だが、老華僑をルーツにもつ在日中国人の姿は少なかった。

「なぜ、動かないのだろう」

思いをめぐらせるうちに、日中戦争の影に行きあたった。

徐さんにとっての戦争は、日本軍の砲火に追われた若い母の後ろ姿につらなる。

母親は上海の製糸工場で働いていた。1932年、20歳の時「上海事変」を体験する。村は日本軍に接収され、全村民が追い出された。

中国大陸を後に、徐さんの父親は23年、母親は36年に日本に移り住む。洋服職人として働き、6人の子どもたちを育て上げた。厳しい家計をやり繰りしながら、徐さんを中華同文学校（小中）に通わせた。

結婚を機に、家族を離れ、日本の社会に飛び込んでいった。そこで差別にであう。71年、勤務先の保育園が公立化されるさい、徐さんは大阪市の国籍条項により解雇された。仲間に支えられた解雇撤回のたたかいは、徐さんが声を上げる原点ともなった。85年、指紋押捺を拒む。支援の仲間が、指紋管理のルーツを求め、中国東北部（旧満州）へ調査の旅に出た。

その報告集『抗日こそ誇り』（指紋なんてみんなで"不"の会編）を自信いっぱいに父親に差し出した時のことだ。

「抗日はいかん。抗日は」。父親は、顔色を変えた。

敵国人として弾圧の対象とされてきた歴史が、そこにはあった。戦時下に呉服などの行商をしていた華僑がスパイ容疑で当局に連行され、犠牲になった事件もあったと伝えられている。

徐さんは、昨夏のシンガポールへの旅も経て思う。

「（父親たちは）戦争の相手国に住んでいるので、抵抗しない生き方を選ばざるを得なかった。横のつながりで、日本の国内外で華人が犠牲となったできごとも耳にしていたと思う。父の世代にとり『抗日』という言葉を口にすることは、命にかかわることだったのではないか」

『花であること』は、封じられてきた無数の老華僑の「声」も刻む。同時に、移民の先駆けとして根を下ろしてきた約4万人の老華僑による、歴史からの呼びかけでもある。

戦争と指紋とたたかうこと。戦前から一貫する「管理」のまなざしをはねのけ、徐さんが「生きること」を取り戻す軌跡とも重なる。「生活の一部として、これをやらないと自分が前に進めない」という『怒り』が足場。毎月9日、9条改定反対のビラまきも続ける。「最初から『みんなで』というのはきらい。自覚的な一人ひとりが集まって、『みんな』になってゆくと思う」

運動を長く続けて得た実感は、待っていても、「だれか」は、やって来ないこと。まず、ひとりから。そんな徐さんの周りに、仲間が集まってくる。

聞き手…山本柚
撮影…しんのすけ

お酒は飲めないけれど、人が集まって、言葉を交わす場所にいるのが好き。楽しい仲間と、一緒にやれることが大事。振り返ってみれば、その場その時に最高の仲間と出会えていたと思う

profile

じょすいちん

1947年生まれの在日中国人2世。2001年から朝国合肥新訟事務局。在日米軍「思いやり予算」返還訴訟を呼びかけ、原告にもなる。反戦平和について考え行動する市民共同オフィス「SORA」共同代表。映画の問い合わせは☎06(7777)4935

映画「1985年　花であること」についてインタビューで語る著者
（『ふぇみん婦人民主新聞』2012年2月15日号）

あり得ぬ日々をこえて
花でしかついにあり得ぬ
ために
花の周辺は適確にめざめ
花の輪郭は
鋼鉄のようでなければならぬ
（石原吉郎『サンチョ・パンサの帰郷』「花であること」）

二〇〇九年、外国籍住民の管理強化のため、新たな在留管理制度として、入管法、入管特例法、住民基本台帳法の改定案が国会に上

程され、七月には可決、公布されてしまいました。二〇一二年七月には施行となります。自民党政権下での成立、その後の政権交替で民主党政権に。施行までに何らかの見直しがあるのでは、との期待も現政権での混沌では何ほどの現実味もない。

戦後六五年、この法の行方もさることながら、日本における外国人政策は明治の「近代国家」出発の当初より基本的に何も変わっていないのではないか。敗戦、「民主主義国家」へと舵を切ったはずであるにもかかわらず。

その国の外国人・移民政策と自国民への排外的ナショナリズムの登場は表裏一体であることはいうまでもないが。

ひとつおもしろい記述を紹介

外国人登録制度の原型ともなった「内地雑居令」、この勅令以前、外国人の「居留地」「雑居地」以外での居住、諸活動は禁止されていたのですが、「外国人も日本の何処でも居住、定住、移動、諸活動をしてもいいですよ」と言う勅令。

一八九九年勅令三五二号・内地雑居令七／二八（内務省令四二号八／四施行）
（内務省令第三二号・宿泊その他に関する件七／八）この三二号は外国人の居住の届け出を定

めたもの、個人または戸単位で届け出。
外国人の居留地、雑居地以外での居住、労働は基本的には可能に成るはずだが、内務省令四二号で中国人だけの職業等はきびしく制限され、この「内地雑居令」適用には許可が必要と。この省令、「外国人」と言えどターゲットはあくまでも中国人労働者であったのは明白。その法制論議の中で以下のような論議がなされていました。

欧米人の内地雑居は問題ないが、中国人については制限・禁止すべき。その理由
・中国人労働者は日本人労働者の職を奪う。
・中国人商人との競争に勝てない。
・中国人の風俗習慣は日本社会を紊乱《びんらん》
・日本人との「雑婚」で日本人の血統に影響
★下等労働者については雑居の制限をすべき。(西郷従道・当時内務大臣)
◆朝鮮人については「慣行」により内地雑居の容認。日本人感情がシナ人に対するが如き感情を有せざる、シナ人のごとく悪習もなく、蛮民の如き弊風なく、其従順なること殆ど比類なき人民。(原敬)
何と! 百十数年前の国会での論議、現在とどの様に変わっているのでしょうか。

朝鮮人についての記述に至っては、まったくなめられたもの。現在にも通じる植民者たちの巧妙な分断管理。その傲慢、胸くその悪さこの上なし！

この勅令はほんの一部、明治の初めより一九四五年まで、数多くの外国人管理、入国規制等の法、そのほとんどの場合常に敵国人であった「中国人労働者」を対象としたものだった。

さて、こんな一貫した日本の「外国人、移民」政策とそれを容認する社会の中で、二〇〇万以上の外国籍住民、とりわけ私たち在日中国人、韓国・朝鮮人はすでに四世、五世を生きているのです。日本社会がどのようであったとしても、私たちはここで立ち向かい、様々な形で抗い、融合するしかないのです。

この映画に寄せる思いは「法」の行方だけでなく、日本社会に向け、「多様なルーツを持つ人々と共に生きる社会をめざしませんか？」、この「『日本』を、もっとしっかりと見てみませんか」と言う問いかけでもあります。

（二〇一一年一月『一七〇〇誌』二九号）

〈東本願寺と仏教興亜会〉

春うらら、ぶらりと「親鸞七五〇回遠忌」の取り組みでにぎやかな京都東本願寺に出かけた。なんと、寺の内も外も続々と大型バスで乗りつける全国の門徒たちでごった返していた。一体どれくらいの人々が「親鸞」に会いにここに来ているのだろうか……、ちょっと興奮気味に見回す、そして思うのです。親鸞の教えは「非戦・被差別」。こんなに多くの人々がもし親鸞の教えのまま生きるなら、真宗門徒で平和に向けた「革命」が起こせるわー！

しかし、現実はそう甘くはない！

朝鮮植民地下での教団の役割、日中戦争下での役割、そして当時日本国内での中国人支配のための役割も地域、警察権力、軍とも深くつながりながらであった。

知っていますか？「東本願寺と仏教興亜会」

一九三七年七月七日の日中全面戦争勃発以来、在日中国人は日本国内でも検挙、拷問、送還……と、様々に弾圧を受け、侵略国で敵国人としての辛酸をなめました。一九三八年頃からは各地の外事課が主導して日本の意のままになる翼賛「華僑組織」を次々と結成。

このような背景の中、京都では全華僑を根こそぎ東本願寺の門徒とし、国策に役立たせようと画策。これが仏教興亜会である。一九三九年二月二三日午後一時、京都のほとんどの華僑一五〇名が東本願寺の表小書院に集められ、帰敬式が執り行われ、門徒となった。その後は「大阪仏教興亜会」「神奈川県日華仏教界」と広がっていきます。一九四〇年には東本願寺の日曜学校に華僑を対象にしたクラスが設けられたとか。

宗教界がそうたやすく過去を清算できるとは思ってはいないが、強制され、利用され出会った「仏教」ではなく、私は「戦争をしない、差別をしない」親鸞や法然の世界に真に出会ってみたいと思う。

（参考：のじぎく文庫「神戸と華僑」この一五〇年の歩み）

（二〇一一年七月『一七〇〇誌』三〇号）

〈旅　ふたつ〉

出不精であるばかりではなく、私は飛行機がイヤなのです。三時間以上は乗らないと決めていたのです。それじゃ外国へは行けないじゃないか。そうなんです、出不精、飛行機がきらい、その上私どもにはほぼどの国への入国にも煩雑なビザの準備、我が出生国であっても出国には再入国の許可が必要なのです。その上日本に戻って来ると再入国だと言って「指紋押捺・写真撮影」の義務が課せられ、出不精でなくともまったく嫌気がさす。気楽に世界を飛び回る皆さんを横目に「私は飛行機がきらいなんだ！」と負け惜しみ！

だがしかし、今年の夏は煩雑な出入国の手続きは克服できなかったものの、「出不精・飛行機は三時間以内」は克服！

マレーシア、シンガポール・北京へと出かけていった。安いチケットのお陰で地上滞在より空の上、機上の時間がずっと長く、「三時間」など軽々と克服。例えば帰路、北京より関空のルートはこうだ。北京より香港↓台湾↓やっと関空。食事は三食の機内食、関空にたどり着くのに八時間！

納得がいかない!!

その一《マレーシア・シンガポールの華人たち》

父の杞憂の訳
在日韓国・朝鮮人が中心に外国人登録法改正、指紋拒否運動が日本社会、政治を揺るがす大きなうねりとなっていた一九八五年。私は在日中国人で初めての指紋押捺拒否をした。当時、万を超す拒否者を出した在日韓国・朝鮮人に比べ在日中国人の拒否者はその比ではなく、記憶は曖昧だが、わずか二けた前半ほどではなかっただろうか。当時在日韓国・朝鮮人数が大まかに六〇万、在日中国人約六万であれば、比率から見てもその拒否者は一万に対し千人であってもおかしくないだろう。両者の戦前からの歴史的経緯からしても。なぜか？

一九八八年、中国における日本の侵略と指紋制度について訪中調査した報告書「抗日こそ誇り」を出版した。娘の闘いぶりを黙って注目していた父に一冊進呈。父はりっぱな報告書が出来たと喜んでくれたが……、本の表題を見て、「抗日はいかん！抗日はいかん！」と声を荒立てた。当時私は戦後五〇年も経とうというのに父の過剰な反応が理解できなかった。

なぜ？三〇年来の疑問が解けた

日本にとって敵国人だった中国人に対する過酷な弾圧管理支配。父たちの時代、どれほどの恐怖の中で口をつぐみ生きざるを得なかったのかが見えてくる。それでも戦後生まれの私達にはその実感は伝わらない。戦時、日本が侵略の触手を伸ばした南方、マレーシア。特にシンガポールはもっとも華人の多い地の一つである。淡路島ほどの地に、当時の人口八〇万、内四分の三ほどは華人とか。マレー半島を占領後、日本軍は「ゲリラであるかもしれぬ、何時抵抗するかもしれぬ」と殺し続けた華人の数は、シンガポールだけでも、四万、六万、一〇万とも。父が生きた当時、日本の華僑は六万。だとするとこの数、私達はすべて、一人残らず抹殺された事になる。華僑社会の情報網は世界中縦横無尽。南方での同胞たちの惨状は父たちの元にも届いていたであろう。「抗日」を易々と口にしてはならないのである。

もちろん当時世界に散らばる「華僑・華人」たちにとって中国＝ふるさとは生きるよりどころであったに違いない。彼ら彼女らにとっても「抗日」は燃えたぎる思いであり、時にはひっそりと消さぬ灯火として守ったに違いない。

この地の華人・華僑住民の追悼碑のあまりの多さに立ちつくし、「抗日」に対する父の反応、父にとっては杞憂ではなかったことを確認した旅だった。

私が訪ねたのは二〇一一年八月一五日。日本軍のマレーシア上陸から七〇年。日本軍によるマレー・シンガポール受難華人慰霊七〇年記念式典の日。

※華僑↓中国国籍のままで移住国に生きる中国人　華人↓移住国の国籍を持つ移住中国人

その二《長崎・ちゃんぽんに出会う旅》

在日華僑の歴史と改悪入管法等を問う映画「一九八五・花であること」の上映が各地でボツボツと続いております。そんな中、長崎上映の依頼が入った。こちらはビザも出入国の手続きもいらないけれど、出不精の私、「遠ーい」と思って少し躊躇したが、「ちゃんぽんでも食べに行こう」、と引き受けることとなった。なんと不謹慎な動機かと思われるのですが、実はそうでもなくとてもまじめなのです。

自分の生きる場＝日本での社会変革にいっちょ噛むことは自分にとっては「責任」であると思

いながら様々にいっちょ噛んできた。だがしかし、この年になって様々に「？・？・？」に出くわし、「共にいた」はずの日本社会の中で「疎外感」を感じる。改めて自らのルーツが気になりだしてしまう今日この頃です。

長崎は親戚・神戸は友人・横浜は隣人

こんな言葉を知っていますか？

戦前からの在日中国人の一五〇年の歴史をひもといていくと、私にとって神戸は生まれた地、横浜も結構身近、しかしその歴史の始まりである長崎についてはほとんど知らない。鎖国の時代に長崎に唐船が初めて現れたのは一五六二年とか。商売に現れたその唐人たちを隔離住まわせたのが長崎唐人屋敷（一六八九年～一八七〇年）。そこから数えると中国人の渡日の歴史はおよそ三〇〇年近くにもなる。

長崎の長い歴史の中一人一人はどの様な思いで海を渡り、この地で生き、現代にまで繋がってきたのだろうか……？　いろいろありましょうが、ロマンでもありますね。

さて、この長い歴史の中で交わった地元長崎の人々、渡来した中国人たちは何を育んだのだろうか、私にとって興味津々の長崎である。

《長崎は親戚・神戸は友人・横浜は隣人》、長崎・神戸・横浜、それぞれの地での中国人たちと日本の社会の関わりを言い表した言葉です。長崎は融合、良い意味で同化もし、混ざり合い、親戚のごとくつながった三〇〇年。神戸は友人としての関わり、横浜はただの隣人……としての一五〇年。何処の誰が言ったのかは不明だが、言い得て妙。

この長崎のくだりの説明に「ちゃんぽん」が出てくる。この見るからに「和中」折衷の食べ物、考え出したのは長崎に生きた中国人料理人ではあるが、長崎の人々は身近になった異文化を排斥するのでも、横目で見るのでもなく、取り入れ融合して生かし、独自のものとして育てる。長崎の風物詩、文化、としてすっかり定着した長崎くんちの龍踊、ぺーろん祭などなど。日常生活の様々に中国文化が融合し、影響し、長崎の文化として生きているのである。

と言うわけでこのロマン「ちゃんぽん」を改めて長崎の地で食べてみたかったのである。

長崎行きの動機、さほど不謹慎でもないでしょう？

唐人長崎の三〇〇年、神戸横浜など一五〇年近い歴史を持つ、私たちの「在日史」。戦争に翻弄された一〇〇年。そして閉鎖的なナショナリズム、排外の動きがちょっと怖い「現在」。だがしかし、これからの一〇〇年を見据えれば、長崎の「ちゃんぽん」は「共生社会」を切り開く鍵ではないだろうか。なんて思っているのですが、いかがでしょうか。

（二〇一二年一月『一七〇〇誌』三一号）

〈**あなたの一票のウラ**〉

古くからの「在日」の友人の話である。まだ「自公」の頃、公明党に「在日にも選挙権を！」とかなり熱心に訴えつづけた。でもかないませんでした。それから次に民主党にまたまた「在日に選挙権を！」と訴えた。またまただまされた。選挙権もない「在日」の声など耳の片隅にも止まらないのか！　この在日のおばちゃんは怒った！

「選挙権ないと思ってか！　あんたらなめたらアカンで！　うちらに選挙権がなくてもうちらの子どもは日本籍で、その連れ合いはみな日本人や、身内だけで何票持ってると思ってるねん！」

さて「在日」の選挙権はいったいどうなるのでしょうか！　この友人の「啖呵」はいったい何時になれば活かされるのでしょうか。戦後すでに七四年。植民地から解放されて七四年。

彼女の言う通り、時が経ち、選挙権のない私たちの子や孫の多くはすでに日本国籍、多くの場合日本人であるその連れ合い、親族も入れるとおそらく一人の在日の周りには数十名分以上の票があるはず。ほんまに「なめたらアカン！」のではあるが……、残念ながら「それがどうした？」でもある。

いくら一票持っていたとて、日本人の一票の行方を見てみれば明らか。今年、日本列島は人間の生き死にをそっちのけで「選挙・選挙」でなんとも忙しいことか。なんの遠慮もなく私たちの耳に突き刺さるのは、なんと勇ましい「強い日本」「国軍なくて何が近代国家か！」。おー、もう夏も近いというのに、ぞくぞくと寒気がする。〝国民〟はこの一票を使って戦争も原発もなんのその、「強い日本」の実現に、アジアから国際社会からの孤立に、民主主義から一層の離反に手を染め、そんな国家の主体者ともなっていく。

日本国民は一体どれだけの人々を戦争で、原発で殺し、殺され、殺させられればこの一票を活かせるのか！

「在日」の友人が嘆いた通り、国政選挙とはまさに〝日本国民〟だけの一大イベント。市民社会から疎外排斥される者たちや、在日外国人を疎外し成り立たせていることに何の疑問も持たない有権者＝日本人。戦後七〇数年も経とうというのに、「在日」は日本社会に根付いて何世代にもなろうというのに。選挙のたびにこんな現実さえ知らずにいる日本人がなんと多いことか。自分たちの社会はそんな人々の声を圧殺した上で成り立っていることを知らない。そんな程度の民主主義か。あなたの一票、そんな程度の一票にしてはならないのでは？

ちょっとついでに、

「在日韓国・朝鮮人」の参政権について
一九一〇年　日帝による朝鮮植民地化
一九二五年　日本内地に在住する者は国政レベル、地方レベルで参政権を有する（被選挙権も）
一九四五年八月　ポツダム宣言受諾で上記参政権失う。同年一二月衆議院議員選挙法改正時に「停止」
一九五二年四月　対日平和条約発効で「日本国籍」喪失、「外国人」となり、以降「国籍条項」によって制度的差別が〝正当化〟
在日朝鮮人参政権の要求
一九四六年　在日朝鮮人聯盟が「停止」に反発
一九六五年〜　北九州の崔昌華（チェチャンファ）や金達寿（キムダルス）など在日からも「在日韓国・朝鮮人の参政権」について、その不当性について指摘
一九八三年　政治学者白鳥令、日本側専門家による初の〝反応〟「永住外国人」にも配慮を
一九九〇年　外国人の地方参政権を裁判で問う（大阪地裁）
※在日韓国人による地方参政権を求める裁判で、九五年最高裁は請求を棄却したが、「法律を持って地方公共団体の長、その議会の議員等に対する選挙権を付与することは憲法上禁止されているものではない……専ら立法政策にかかわる事柄」と判示した

一九九四年　「新党さきがけ」ではじめて具体的政策
一九九八年　はじめて国会に提案。一〇月野党民主、公明、平和改革が永住外国人地方参政権付与法案を初めて国会に共同提出、成立ないまま今日に至る
二〇〇〇年　「参政権がほしければ帰化すればいい」との立場から「特別永住者の国籍取得特例法案」を発表

二〇〇〇年までの簡単なまとめですが、その後はめだった新しい動きもそれに向き合う誠実もなく……。

こちらも参考までに
★韓国では二〇〇四年に定住外国人に住民投票を認めた

◆ヨーロッパにおける外国人参政権の考え方
外国人人口が二割、三割に達するような大都市では民主主義をスムーズに機能させるためにも、彼らの政治参加は不可欠。彼ら抜きでは民主的決定にはならない。市政デモクラシーの不成立である。
★一九七五年スウェーデン
三年以上合法的に居住するすべての外国人に参政権を付与する決定

※これは外国人移民から選挙権の要求があったわけでもない。世論の多数が求めた訳でもない。
一九八三年オランダも同様で、世論追従でもなく政府主導で決まった。
★EU、一定期間国内在住の全ての外国人に参政権

（二〇一三年一月『一七〇〇誌』三三号）

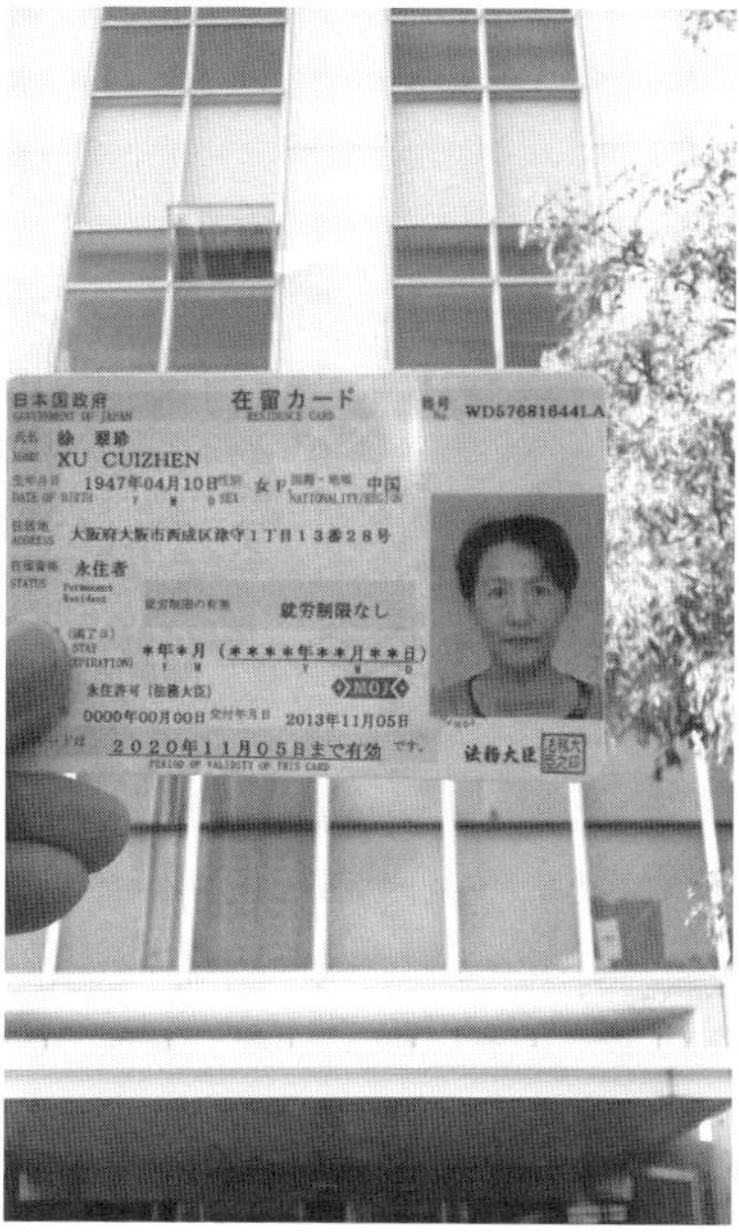

大阪入管をバックに在留カード

〈黄魚《ウオン》と総背番号制「クッ」と苦笑い！〉

秋の一日、地下鉄中央線、コスモスクエア駅下車オレンジ色のコスモスが咲く空き地を通り過ぎ、日本国・大阪出入国管理局に到着。様々な国の人々が出入国関連の手続きにカウンター前はにぎやか。

入り口の入管職員に手続きの手順を聞き、所定のカウンターへ、若い女性職員、終始にこやかで何とも丁寧な対応に

ちょっと「苦笑い」してしまった。肝心な手続きはほんの一時間以内に終わってしまった。

はい！これがわたしの「在留カード」申請の顛末でした。

二〇〇九年七月七日、従来の外国人登録法は廃止され、新たに「入管法・入管特例法・住民基本台帳法」が制定された。施行は二〇一二年七月から三年以内。

手にした「在留カード」と記念撮影。そして又「クッ！」と苦笑。吉本新喜劇の誰やらのギャグで、相手にめっちゃやられながら「このぐらいで許したろか！」と立ち上がる。まさにこんな心境である。

なんだか自虐的だけれど……、ちょっと待って。

そして後日、すでに法制化された「共通番号制度法」の学習会に参加してきました。

こちらの実質運用は二〇一五年から。あなたの元に通知カードが送られてきますよ。この法律の問題性は当誌『一七〇〇』九ページから詳しく述べられています。

このカード、すべての「国民」・在住外国人に持たされ、社会生活上あらゆる場面でその提示が必要になってきます。番号は一二桁、顔写真付き、実質「常時携帯義務」ありだって。「私たちと同じじゃん！」不謹慎ながら又々「クッ！」

あの外国人登録法下、私たち外国籍住民を悩ませ、萎縮させられ続けた「常時携帯」制度ですね。やはり「日本国民」の「在日」化が法的にも進行しつつあるのでしょう。

はてさて、私たちはこの「共通番号」と「在留カード」二つを常時携帯するのかな?・?

「クッ!」苦笑している場合ではない。

今からお料理講座です

子供の頃、上海出身の我が家での食卓にのる魚料理はほとんど「黄魚」(上海語読みで「ウオン」北京語で「フワンユィ」)の炒め煮です。

日本人にはなじみが少ないかも、最近ではほとんど魚屋でもスーパーでも見ることがなくなったこの「黄魚」、名の通り鱗が黄色がかって形は鮒のようで、白身がぽろぽろとなかなかの美味。上海でも庶民の味だったのだろう、日本に渡った母は好んで料理していた。油でジュッと炒め青ネギとショウガ、豆腐を加えて醤油と酒を振り入れ、出来上がりです。もう味わえない懐かしい味である。

戦前日本の華僑社会で「あの人たちは『ウオン(黄魚)』だからなー」とのささやきが。

ウオン(黄魚)とは「密航者」を指す隠語だったのです。なぜか? 二束三文の安魚、船底に無造作に積み込まれる様を言ったのか……、戦前の一世たちがもうほとんどいなくなってしまった今ではその語源を確かめるすべもないのが残念。

一八九九年「内地雑居令」前後の中国人労働者の入国規制等で、日本流入が大幅に規制される事によって、「密航」中国人労働者が増えたのか。戦前の「密航労働者」の話である。「ウオン（黄魚）」と比較的安定した自分たちとを区別する様は戦後「在日」社会でニューカマーを区別、あるいは差別する現実と重なる。かつての「ウオン（黄魚）」レシピは、日本社会に「文化的同化」「価値観同化」されつくした私たちオールドカマーの有り様を再認識させられる一品である。

それは同時に、徐々に「平等な」管理社会・暗黒社会に向かうこの日本社会に生きる私たちへの新たな示唆を含んでいるのではないでしょうか。

単純ではない、容易ではない「共に生きる」を考えつつ。

この容易ではない「共に」をもう一品。（ちょっと辛口です）

反原発に日の丸・君が代は似合わない！

「秘密保護法案」審議が緊迫した一二月のはじめ、四国松山での「伊方原発再稼働反対」の一万人集会に参加してきた。参加総数約八〇〇〇人、会場公園内は熱気に満ちた集会だった。さて舞台では様々な人々の発言、音楽等のパフォーマンス。会場を取り巻く周辺も又何台もの右翼街宣車のがなり声でにぎやか！舞台上のミュージシャン（サンシン奏者）のトーク、「私たちはこの国を愛してます。公園の外の街宣車の皆さんも国を愛しています」「どちらも国を愛しているのだから」とかなんとかで舞台上アカペラの迫力ある声で歌い出したのが「君が代」だった。

案の定会場は騒然。「引っ込め！」の声と「続けて！」の声が飛び交う。君が代の後数曲を歌い終えた。その後壇上で発言した何人かからは「反原発の一点で共に闘いましょう！」とやんわりと訴える。

三・一一後早い時期の反原発デモで、先頭街宣車から流された「君が代」に感じた「違和感と驚き」を思い出した。我々のデモ隊の街宣車からだよ！スピーカーを担当していたのは若い青年だった。後日そのグループとは話し込み論議があったようだが。

「反原発一点で共に闘う」私も同感である。それは結構だが、それなら「天皇は好き」「君が代日の丸何処が悪い？」を持ち込むのはいかがか？「共に」には最低限の仁義が必要だろう！

なぜこの場で、私は「君が代」を聞かねばならないのか！ましてや今、自分の良心をかけてぎりぎりのところで「君が代」を歌わない、立たないという闘いを続けている人々がこの場にいたら（たぶん居ただろう）どんな思いでこれを聞いただろうか、と思いながら「あたしゃ『国』など愛してないよ！」。大声を上げたくなった。

戦後の民主主義もどきで育った七〇年の日本社会、今、様々な場面で感じるのは、天皇・君が代・日の丸、何とも軽い、軽いのだ！　若者だけでなく、所謂「左翼」でさえ。

その事を大いに感じさせられた昨今の「天皇制」騒ぎである。

（二〇一四年一月『一七〇〇誌』三五号）

第七章　つれづれにあれやこれや——そのII

〈消えた「シナ人」〉

みなさんへ

日々ご苦労様です。沖縄での大阪府警による「土人」「シナ人」差別発言は沖縄の人々を思って、戦前からこの日本で辛酸をなめ生きてきた中国にルーツを持つ人々を思って、こんな民主主義しか持ててこなかった日本の仲間たちを思って、怒りと悲しみでいっぱいです。

こんな差別発言がネット上であっても平気で蔓延させてきた日本社会。それが今どうだろう、街角だけでなく、公的人々の口からも平気でばらまかれる事態です。民衆の醸造された「差別意識」（他民族やマイノリティーなどに対し）なくして戦争遂行は不可能です。日本の「リベラル」も「シナ」発言にはほとんど言及せず、いや、出来ないのだろう。このことにこそ私は危機感を感じてしまいます。

この発言とほぼ同時、一〇月九日の九条ビラまきでの出来事です。場所はＪＲ大正駅、日曜日の夕方で一杯入って気持ちよさげに行き交う人々、まくチラシを手に取り、いろいろと励ましの言葉やおちょくりも含め、大いに反応があった一時間。

その中で、ちょっと情けなさすぎる顛末。酔っ払ったウチナンチュの男性、「沖縄のＤＮＡは日本じゃ」「独立しろというのか！沖縄を差別するな！基地は増強だ、『シナ』にやられたらどうするんじゃ！」。それからが大変、私の目の前一センチほどのところに人差し指を突きつけながら「シナ」の連発。今にも殴りかからんばかりです。酔っ払っているとはいえ、なかなかの「あほくささ！」。私たちもそれなりに反論に努力したのですが。

「シナ」と連発されるのは終戦直後子どもの頃以来。二〇一六年、日本の行く道がよく見える。私の胸は「疼いて」います。

はい！めげずに一一月も「憲法九条捨てたらアカン」[7]ビラまきです。お誘い合わせ、ご一緒に！

〈一〇月九日の九条ビラまき日誌より〉

侮辱の正体

昨年一〇月一八日、沖縄高江の米軍ヘリパット建設現場で大阪府警から派遣された機動隊員が工事に抗議する住民に対して「ぼけ、土人が」「黙れ、シナ人」などの差別暴言を浴びせた。

それから連日のマスコミ報道では、一〇月一九日、松井大阪府知事の「よくがんばった、ご苦労さん」発言から、参院法務委での金田法相、鶴保沖縄・北方担当大臣、菅官房長官発言等々、政治家たちの驚くべき「認識」が続く。もちろん発言に対する抗議の記事もつづく。声欄であったり、社説であったり、様々なコラムであったり。

しかし、「ん〜？」と気がつく。どの記事も「土人」「シナ人」と並べて表記はしているが……、どの記事も「土人」発言についてのコメントだけであり、「シナ人」についての言及はほぼない。

「土人」発言は言うまでもなく、沖縄の反基地の闘いを眼前に、長い「日本と沖縄」の理不尽すぎる関係性を底に抱え続けた沖縄の「心」への侮辱である。「沖縄」「本土」間の抜き差しならない現実の表れでしょう。

今ひとつ大きな問題は誰もが触れない「シナ人発言」。大阪府警の若い機動隊は「シナ人」という中国人に対する差別用語を使って、沖縄の人々を侮辱した重層的差別であると、私は認識しているのだが、マスコミ人も学者先生方も、あまつさえリベラルを自認する政治家、市民運動、労働運動等の皆さんからもそんな声を聴いたことがない。

（私個人の見聞きが少なすぎるかも知れないが、正確には二編のミニコミ誌上の記事、抗議集

(7)　**「憲法9条捨てたらアカン」**　「一人から・私から行動を・市民アクション『憲法9条すてたらアカン』行動」が正式名称。「国民投票法」成立後、その場限りでなく持続した行動をせねば、と思い立ち行動を始めました。最初の呼びかけ文は以下のとおり。『九条捨てたらアカン』ビラを作りました。中高生が見てわかるような簡単なものです。『平和憲法を変えたらあかんのや』と言う雰囲気作りが大切かなっと思うので、そんなビラです。憲法が危ない間、毎月九日に駅頭でまきます。グループでも、個人でも、一緒にまきませんか、じっくりと、持続して。第一回は六月九日、六時から七時まで。場所は天満橋コーヒーショップ前集合。お待ちしています。一時間ご一緒に！　徐翠珍より」

どんな場面でも一人になっても「NO」の意思表示こそ大きく政治を動かす基礎である。毎月九日、駅頭などで「九条すてたらアカン」のチラシ配布を継続している。二〇〇六年から、一人の時はめげず、二〇人の時はワイワイと、二〇一九年、今年で一三年目（呼びかけ人）

会での二名の発言での言及のみ）だから日本人はこの「差別」発言をどう認識しているのか、わからない??

そして、紙面から「シナ人」は消えた

いや、消された。そんな発言などなかったがごとく。なぜだろう? 「シナ人」などすでに「死語」であり、「どうも差別語らしい……」「これは沖縄に対する差別なのかどうかよくわからない」、この程度の認識では論評は出来ない。もしくは沖縄を「シナ人」＝「中国人」呼ばわりするとはけしからん! と言うことなのか? 差別分断に乗せられそうな「空気」、右派政権以来日本中に蔓延する「嫌中」意識の広がりなのか、と手ごわい!

二〇一三年一月、沖縄の市町村長、県議らが「米軍機オスプレイ配備撤回」を訴えて東京の都心をデモ行進していた時に沿道から「シナの工作員」「シナの手先」「沖縄へ帰れ」等口汚く罵っていたヘイトの記憶、忘れてはいないだろう。これらヘイトは沖縄に対する侮辱とともに中国に対する侮辱ではないのか。

もちろん言うまでもなくこの発言を発した機動隊員たちの背景にあるのは、安倍自民党政府の擁する警察組織の「市民運動、マイノリティー、在日外国人団体」等に対する日常的な嫌悪教育の徹底があり、その露呈に過ぎないだろう。でもしかし、これを反論できない世論とは……。

「シナ人」って差別語なの？　リベラルも薄っぺらい「歴史認識」

「昨年の東京都知事選中、テレビで石原がまばたきをしながら、憎らしげに「シナ！」「シナ人」と連発しているのを見ていた。石原が「シナ」というと、私の心は何かに刺されたようにピクッとし、「シナ人」と石原が言うと、また心がピクッとした。「シナ」と言う言葉には、日本人になめられ、痛めつけられた数十年間の中国人の痛み、悲しみが凝縮されている。しかし石原は「俺の辞書にはシナがある、他人がどう思おうと俺が使いたかったら使うんだ」と言わんばかりに、「シナ」「シナ人」を連発した。」

〈『石原都知事「三国人」発言の何が問題なのか』影書房、二〇〇〇年所収劉彩品（リュウサイヒン）著「井戸を汚す蛙」一一一ページより〉

以上、劉さんのこの文章を拝借したのは、この感覚はわたしを含め日本の中国侵略を知るすべての中国人に共通する感覚です。

歴史認識のさだまりのない多くの「日本人」からは石原の居直りまではいかなくとも「シナ」の語源を披露しながら「あながち差別でもないだろう」との声が聞こえてくる。

語源などさほど問題ではないと思っているが、それならば同じく劉彩品さんの著述を参考に述べてみる。

「シナ（支那）」ということばは、中国古代の王朝の一つ「秦《シン》」が語源といわれ、英語の「チャイナ」も同じ出所だとされています。日本にも、仏典を通じてこの名称が伝えられ、江戸時代にしだいに普及し、明治時代にも引き継がれました。

このように、「シナ」は、外国人が中国を呼ぶ用語として、それなりの歴史的根拠をもっています。しかし、問題は、それが、戦前・戦中、日本の中国侵略と結びついて、中国に対する侮蔑語として使用されたことであり、中国国民はこの呼称を拒否しています。当時、日本政府は、「中華民国（中国）」というその時期の正式国号を無視し、ことさら「シナ」「シナ人」などと呼んで、中国と中国人をさげすむ態度をとりました。これは、中国侵略戦争の際唱えられた「膺《う》てや懲らせや支那」「膺懲《ようちょう》支那」（「支那を懲罰せよ」）などというスローガンに端的に示されています。

こうした歴史の真実を直視すれば、中国を「シナ」と呼ぶことは、単に時代錯誤というだけでなく、過去の侵略戦争への無反省がその根底にあることは明らかでしょう。（前掲書一一四〜一一五ページを参考にまとめた）

「膺てや懲らせや支那」。この思想がいまだ払拭されない上に、近年広がる「嫌中」の煽りに乗せられている所為ではないかと思うが……、なぜ差別用語「シナ」がいまだ時には「差別」と認識もされず、ここかしこに生きているのか、戦前戦中「シナ」がどのように使われていたのか、戦後なぜ生き返ったのか、歴史認識の薄っぺらさを感じるが、言いすぎかな？

（一九〇三年、大阪勧業博覧会における「人類館」事件に見る「重層的差別」の歴史的教訓を思い出しながらの一文です）

（二〇一七年二月『一七〇〇誌』四一号）

〈大阪曽根崎警察署にて　―憶えているかい？「神戸呉服行商弾圧事件」〉

ある日のこと、一通の封書が届いた。大阪曽根崎警察署からである。「身に覚えがない……」封を切るのにちょっと躊躇しながら開封してみると、なんてことはない、遺失物保管係からのお知らせである。日本の警察は親切です。何を落としたのか？失くしたのか、とんと記憶がない。その上どのような用件であれ、警察署の門などくぐりたくもない。しかたなく意を決して出かけていくのは、運転免許の更新時とデモ申請の時だけである。それになじみのない「曽根崎署」……、何を遺失したのかも定かでないのならわざわざ出かけることもないだろうと思っていたのである。

ところが、「そうだ、思い当たった！失くしたものではなく、『曽根崎警察署』だ！」。まだ神戸にいた十代の頃、強烈に大阪の「曽根崎署」を見てみたい、と思っていた時期があった。

私は、神戸の華僑社会の中で在日中国人の戦中・戦後の歴史等、特に身近に触れる事が出来る歴史とも出会う。その一コマにはっきりと現れるのが「大阪曽根崎警察署」である。

「神戸呉服行商弾圧事件」

日本人はもちろん、若い在日の中国人ですらもはや知る者もいないだろう戦中の事件である。

一九四四年頃に起こった「神戸呉服行商弾圧事件」狭い神戸でのこの事件、まさに父母ら在日中国人らの眼前の出来事だったでしょう。

当時の在日中国人は日本にとっては「敵国人」。厳しく規制された職種はご存じ「三把刀」（裁縫・料理・理髪）以外わずか。そのうちのひとつが行商。山間部や小さな村々へ反物、雑貨等を背負って売り歩いた。

戦争が激化する中、津々浦々を歩くことで「スパイ」容疑をかけられたり、治安維持法で引っ張られたりが頻繁であったとか。

一九四四年八月、行商組合の二〇名近くの中国人が逮捕連行された。内一二名がスパイ容疑で神戸から大阪曽根崎警察署に連行され、内六名もが拷問の末死亡している。

その内の一人、神戸の自宅で突然逮捕、大阪曽根崎警察署に連行された。その間妻の再三の面会要求もかなわず、五ヶ月もの拘留のあと「陳守海を引き取りに来るよう」との通知で駆けつけたが、すでに死亡。骨と皮だけになって獄死していた。陳守海妻の記憶です。

当時は神戸だけではなく、全国でも多くの中国人が逮捕され、強制送還、拘禁、拷問を受けている。

神戸の在日中国人には身近だったこの事件を通じて、かつての私の脳裏にインプットされ、潜在し続けていた「大阪曽根崎警察署」。この機会に私は私の「遺失物」を受け取りに行くことにした。

曽根崎警察署の地下室はもうない？

曽根崎警察署はあの当時から同じ場所にある。今は立派なビルに立て替わっている。ぐるりと回って入り口へ。

「ここに連行されたんだー」。今は気配があるはずもないが、拷問、取り調べがあったという地下をのぞき込み、キョロキョロと周辺を見回しながら遺失物係のカウンターへ。係署員のてきぱきと親切な対応、遺失物を受け取り、「曽根崎警察署」見学は三〇分ほどで終了。

何が見えた訳ではもちろんないが、戦時中「敵国人」として恐怖の中ひっそりと生きてきた「老華僑」たちを、父母の面影とともに思い浮かべながら警察署を後にした。何となく納得。

昨今の政治状況、私たちにとっては「恐怖」そのものです。スパイ容疑やあるいはいわれなき弾圧の恐怖の中、やっと「敵国人」と言う憎悪の目から解放されたのは一九四五年、日本の敗戦です。でもしかし、日常化する「ヘイトクライム」「嫌中・嫌韓」。戦後生まれの私たちもこの「恐怖」の中に生きている。再び「敵国人」にはなりたくないものです。

「神戸呉服行商弾圧事件」は過去のものではない。親切な警察署の地下室の扉が再び開くことがないよう！

心中「署員諸君、君たちは憶えているかい？『神戸呉服行商弾圧事件』」を！

遺失物はなんですか？

ところで私の遺失物は？　某量販店のポイントカードでした！この量販店前で落としたらしい。よい機会を与えてくれたどなたか親切な方に感謝です。

どうでも良いと言えばどうでも良いカードですが、このY量販店前は様々な市民団体が頻繁にチラシ配布やパフォーマンス等、声を上げる情宣の場です。最近は私も「戦争法」「共謀罪」「憲法改悪」反対の声をここで上げ続けてきた。きっとチラシまきの帰りにでも落としたのだろう。「戦争法」「共謀罪」「憲法改悪」反対の声を肉迫する神戸呉服行商弾圧事件を思い出させた「遺失物」に感謝！

（二〇一七年七月『一七〇〇誌』四二号）

おわりに

日本の植民地政策の残存の象徴でもある「国籍条項」、「外国人登録法」「入管法」をめぐる闘いを記してみましたが、当時又は現在に至るも、様々な人々の様々な視点からの闘いのほんの一筋にすぎません。あくまでも日本に生きた一人の「在日華僑」の「私的闘いの記録です」。

入管法改訂案の議論では、入管問題、移民問題の本質を見据えることなく、今から日本にやってくる外国人に対して「労働力」としてだけ関心が集まっているような気がします。出来ることなら、この一編を通じて、一五〇年以上の長い歴史を持った外国人労働者・移民の末裔である私たち在日中国人が、この日本でどのような理不尽の中に生き、どのように尊厳を守り、どのように日本の文化や民衆と融合し生きてきたのか、「へーそうだったのか」と思っていただければ嬉しく思います。その歴史の検証と反省の上にこそ入管法改正の議論はなされるべきであったし、そうでなければ「共生社会」の実現などあるわけがありません。

この「私的闘い」の傍らには、いつも多くの在日朝鮮人・韓国人・中国人をはじめその他の外国人住民たち、また心ある日本の仲間たちが「共」にありました。

これからますます、中国人、朝鮮人等々様々な外国系「日本列島居住者」が増えていくことでしょう。私たちはこの地を選んで生まれてきたわけではありませんが、自らが生きるこの地を主体的に生きたいと思います。「共生」・「共存」、共に生きるとは、共に私たちの歴史を築く事です。

未来に向け、次の世代にむけ、堂々とバトンタッチしていきたいものです。

ここ数年、ぽつぽつと現れる出版話をかわし続けてきましたが、昨年の入管法「改訂」議論を聞きながら歴史の証言者でもある私たち「在日」の存在がまったく置き去りにされていることに危惧を感じていました。特に若い人たちにその歴史と現状を知っていただき、ともに生きる社会をつくるという意味を考える機会になればとの思いが「出版」へのきっかけとなりました。

結果、この猛暑の夏中、古い資料の掘り起こし、整理、文章化に忙殺されることになりました。「在日中国人」ならではの様々な体験もし、また市民運動にも関わってきましたが、ここでは、「国籍条項問題」と「中国人にとっての指紋押捺問題」を中心にまとめてみました。その過程で、この日本における「私たち」のあり方、日本の市民運動との距離感、共に生きると言う内実等々、改めて考える機会にもなりました。季節も移りやっと形が見えてきました。この間、多くの方々に背中を押していただきました。心から感謝致します。

本の編集にあたり、細部までの助言、指導をいただいた川瀬俊治さんはじめ、装丁の高元秀さん、他お手伝いいただいたみなさん、ほんとうにありがとうございました。

まったく稚拙な文体のうえ、重複も多い一冊です。これからますます増えるであろう「多国籍住民・市民」や日本の若い皆さんにも手に取っていただければうれしいです。

二〇一九年一二月

徐翠珍

資料編

資料1．著者略年表

年	月日	出来事	関　　連
1947	4/10	神戸市加納町にて出生	5/2 最後の勅令（207号）、外国人登録令公布実施 5/3 日本国憲法実施
1952	4/28		4/28 サンフランシスコ条約発効 外国人登録法公布（法125号） 旧植民地人民の日本国籍喪失 「法126」 在日中国人の在留資格「一般永住」に
1953	9月	神戸中華同文学校小中学校入学（当時9月入学）	駐日代表団僑務処、在日中国人の登録と証明書の交付、2月GHQがそれを証明書として認める
1958	2/26		外国人登録の指紋に関する政令公布 4/27 施行 1月滞在1年未満の外国人に指紋押捺免除の改正法公布（1955年の中国見本市がらみ）

年	月日	出来事	関　　連
1962	2月	神戸中華同文学校小中学校卒業	朝鮮人帰国運動（61 年まで）
1965	3月	神戸市立兵庫高等学校卒業（定時制）	
	4月	神戸華僑幼稚園勤務	日韓法的地位協定（66 ～ 71 申請による協定永住）
1967	3月	武庫川女子短期大学卒業（二部）	
1968	3月	神戸華僑幼稚園退職	
		この頃から神戸華僑青年会にアルバイト／華僑青年運動に関わる	日本の学生運動・70 年安保入管闘争盛ん
1970	9月	大阪西成区に転居	朴鐘碩さん日立製作所による就職差別
	11/19	西成区めぐみ保育園保母として採用	
1971	6/1	産休に入る	
1971	6/30	第一子出産	
1971	7/1	めぐみ保育園、大阪市立長橋第3保育所に移管され解雇（大阪市保母採用要項の国籍条項を根拠に）	
1972	12月	解雇撤回・国籍条項撤廃	9月日中国交回復
1973	1月	現職復帰	
1975	9/4	第二子出産	
		退職までの5年間 ①長橋第3保育所②松の宮保育所③大阪同和保育連絡会④北加賀屋保育所短期間に配転続く	
1978	3月	大阪市退職	
1979	4月	学童保育所「芽」設立（1994 年福祉作業所へ移行）	

年	月日	出来事	関　　連
1982			難民条約批准、社会保障の国籍条項撤廃。退去強制、一部削除。国民年金の国籍条項撤廃
1983		雑草舎建設開始 (翌84年5月完成、以来雑草舎、管理居住)	
1985	5/2	大阪府警前で逮捕（朴愛子さんへの弾圧に抗議中）東署・拘置所で三日間勾留、特別抗告によって釈放	国籍法改正施行（父母両系主義導入）
	5/20	外登証切替申請時に指紋押捺拒否(在日中国人初)	5/10 大阪府警外事課長富田五郎発言
	5/30	西成で「指紋なんてみんなで「不」(プー)」の会結成	
1985	12/12	外登法違反容疑　朝7時自宅にて令状逮捕（それまでに西成署より約20通の呼び出し状）	12/9 府警、大阪市に文書紹介 12/13 大阪市原票コピー提出
1986	3月	在宅起訴	
1987	3/23	外登法裁判第一回公判意見陳述 8/3 不の会より中国東北部へ指紋調査団を派遣（6月長男新規登録時に指紋押捺拒否）	7月映画「指紋押捺拒否パート2」(監督　呉徳洙さん)
1988	6/1		一回指紋、永住者登録証のカード化
1989	6月	大赦拒否訴訟提訴（民事13名）一審勝訴、二審、最高裁敗訴	昭和天皇「大喪の礼」に伴う恩赦に「外登法違反」対象
1990	8/14	「外登証世界の旅」終着、海部首相宛返還郵送（9月次男新規登録時に指紋押捺拒否）	

年	月日	出来事	関　　連
	9/18	外登法違反裁判免訴判決言い渡し	
1991	11/1		天皇即位大嘗祭違憲・納税者訴訟・提訴（原告）。「出入国管理及び難民認定法」改訂施行
			91年5月 入管特例法により、旧植民地国人に一律「特別永住」
1995	1/17	1/17阪神淡路大震災・実家被災	永住者・特別永住者、指紋廃止、署名、家族事項の登録（1993年） 外国人の結婚相手81.4%が日本人
1996	3/23	中之島中央公会堂で「ひびけ沖縄のこころ……集会」で「異議あり思いやり予算・関西」立ち上げ、訴訟の呼びかけ	95年9/4沖縄で3人の米兵による少女強姦事件発生
1997	5/16	思いやり予算返還訴訟、提訴(21都道府県296名)	
1998		福祉作業所退職 3/26大赦訴訟一審「逮捕違法」一部勝訴判決	
1999	3/29	思いやり予算返還訴訟、一審判決請求棄却	指紋押捺義務非永住者も廃止〈全廃〉
2000	9/28	思いやり予算返還訴訟、高裁判決「憲法判断回避」敗訴	
2001	9月	部落解放同盟浅香支部事務職アルバイト(2007年4月まで)	
		小泉首相靖国神社参拝違憲訴訟・提訴（関連3訴訟事務局）	
2002	6/27	大赦拒否訴訟・最高裁判決・敗訴	

年	月日	出来事	関　　連
2006	8/11	靖国合祀イヤです訴訟提訴（事務局）	
2006	6/9	一人から・私から行動を！「憲法9条捨てたらアカン！」9の日行動開始（2019現在、13年間）	
2007	10月	「非暴力・反戦・反差別・平和」を基本理念に市民共同オフィス「ＳＯＲＡ」開設（共同代表）	
	11月		出入国時の指紋押捺義務（特別永住者は免除）
2009	7/7		改定入管法・入管特例法・住基法成立
2010	7月	ドキュメンタリー映画「1985年花であること」完成、各地で上映始まる	（監督　金成日さん）
2015	9/19		9/19「戦争法」成立。2016年6月戦争法違憲訴訟始まる（原告）
2017	12/16	第29回多田瑤子反権力人権賞受賞	

資料2．在日中国人

	在日中国人数推移	日本（在留関係）
1570		長崎開港
1623		17世紀江戸時代より渡日 1623年長崎では興福寺の建立（南京寺）
1631		
1641		鎖国、唐船・オランダ船のみ
1689		1689年～1870年まで181年間、長崎唐館（貿易関連のエリート）
1696	長崎人口65423人 その約1割が唐人	
1808		
1833		
1840		
1842		
1853		ペリー来航、翌54年開国
1859		日米修好通商条約により箱館（函館）、長崎、横浜開港。欧米人随行の中国人が入国、買弁*4として活躍。
1860		
1862		
1864		
1866		
1867		横浜居留地取締規則制定、之に従い**「籍牌規則」を定める（住民登録）**

渡日関連史

中　国	備考その他	渡日（在日）朝鮮人
	長崎に唐人が初めて唐船に乗って来たのは1562年か？	
	唐人墓現在200体以上（長崎）	
	商館を出島に移す	
	オランダ人は出島へ、唐人は「唐人屋敷」へ移住義務 （これまでは市内雑居）	
欧米へ「苦力貿易」アヘン戦争・南京条約（1842）香港、清からイギリスへ		
南京条約により、上海、広州、アモイ、福州開港	海外中国国籍＝華僑 居住国国籍＝華人 「光緒新政」とともに出来た言葉（19世紀末～20世紀にかけて）世界で35000万人内10%が華僑	
	唐館貿易衰退	
	1858年、華僑の歴史はほぼここから	
中国政府正式に中国労働者の出国を認める		
	日米和親条約締結	
	日本海外渡航解禁	
	明治維新	

	在日中国人数推移	日本（在留関係）
1868		1/1 兵庫開港、欧米人の帯同で広東・寧波・福建出身清国人 11 名・大阪開市、川口居留地に中国人 21 名　神戸在留清国人 240 名
1869		**清国人取締法発令**（横浜・大阪・神戸）
1870		大阪に在留清国人取り締まり世話係設置
1871		11 月兵庫県、「清国人取り締まり仮規則」制定。中国人の登録 ・これまで中国人は無条約国民、原則として居留出来ない。(欧米商社に雇用されて営業活動)
1873		
1874		在留清国人民籍牌規則発令・公布（姓名、年齢、本貫、職業等記載の表）
1875		
1876	2449 人	
1877		初代清国駐日公使
1878		・清国理事府（領事館）神戸に開設　　神戸在留民 619 名（総外国人の 6 割）
1882		
1883		
1885		
1888		
1889		
1890		
1892	5574 人	
1893	5343 人	
1894	1576 人	在留中国人は発布より 20 日以内に府県知事に住所・職業・氏名を届け出、登録書の交付（勅令 137 号 8/4 公布）・以降多数引き揚げ帰国、在日中国人激減
1895		甲午戦争（日清戦争）開戦と同時に日清修交条規は破棄され在留中国人は無条約国国民に。多くが帰国

中　国	備考その他	渡日(在日)朝鮮人
	江戸から東京に名称変更。新政府に(明治改元)	
	500人以上いた清国人→外国人の付属使用人→雑居地に移り住み華僑へと 最初の仕立て職人来神	
	中華義園建設（神戸）	
「日清修好条約締結」1873年発効	※（西洋人付属の中国人）欧米商社に雇用とは、通訳・テーラー・バーバー・コック・ボーイ・メード ・最初に大阪入りした中国人は、宣教師のコック	
	日本初めての国籍法	
	日本台湾出兵	
	江華島事件	
	日朝修好条約調印	
	神戸第一回霊柩回送*1	
		4名
	神戸第二回霊柩回送*2	16名
	大阪関帝廟建立 横浜は1871年	
	神戸関帝廟建立	
	大日本帝国憲法	
	教育勅語発布	
中日甲午戦争開戦(1894.7～1895.4)		
4月下関条約(馬関条約) **台湾被植民地化**		

	在日中国人数推移	日本（在留関係）
1898		
1899	6359人	・清国民・無条約国人・無国籍外国人の元居住地以外での労働禁止（勅令352号）、施行細則内務省令42号（7/28）　・勅令137号廃止　・国籍法4月施行　・内務省令第32号、外国人登録制度の原型　・4月**「内地雑居令」**勅令352号により一般欧米人には移住・定住が可能になるが、中国人には厳しい職業規制。新しい渡来中国人には職業規制、三刀と行商（商職人群）
1900		
1904		
1907	12273人	
1909		
1910	8420人	
1912		
1914		7月中華革命党結成（東京・神戸・大阪）
		日本対華21ヶ条要求、日貨ボイコット運動で多くが帰国
1918		外国人出入国規制　・内務省令第1号「外国人入国に関する件」　・華工の入国規制
1919		
1920	14258人	日本政府の対中国人出稼ぎ労働者ノーパスポート政策　・台湾からの渡者はほとんど留学生
1921		ノーパスポート政策、取締厳しくなる
1922	16936人	←出稼ぎ労働者の数は入っていないかも
1923	12843人	関東大震災（虐殺も含め中国人700名以上死亡）
1924	16529人	
1928		

中　国	備考その他	渡日(在日)朝鮮人
	・日本戸籍法制定　・横浜に初めての華僑学校（大同学校）設立	1897 年 155 名
	・神戸中華学校設立　・「国籍ヲ台湾ニ施行スルノ件」で台湾人を「日本臣民」に。内地雑居令以降華商は圧倒的華工へ	
		196 名
清国駐神戸領事館「日本への帰化を禁止する布告」		1905 年 303 名
辛亥革命		
3 月大清国籍条例		790 名
	日韓併合、朝鮮植民地化 ・神戸、三江会館設立	2600 名
1/1 中華民国臨時政府成立		
	第一次世界大戦日本参戦	1915 年 15106 名
5・4 運動		
		40755 人（国勢調査）
		90741 人
		136557 人
		1925 年 214657 名

	在日中国人数推移	日本（在留関係）
1929		
1930	30836人	華僑集団帰国
1931	19135人	9/18事件後横浜、神戸から合計1184名帰国
1932		
1936	約45000	
1937	27090人	中国領事館等各団体閉鎖　・12/12在日本国民党員弾圧、在日中国人326人逮捕　・抗日戦争時期における在日中国人の管理・統制。一地方一組織の「共和会」的親睦会・振興会など、総商会に統合（外事課指導）
1938		全国で中国人394人強制送還（スパイ容疑等）・京都全華僑（150人）仏教興亜会へ。華僑を東本願寺信徒に。国策に利用
1940	→	**45739人**（中国人19453人、台湾人22499人、満州人3787人。国勢調査による）
1941		
1942		前後中国人強制連行始まる（1930年後半から北部から4万台湾から4万計8万）6830人死亡
1944		
1945	90419人 (66131人)	6月神戸空襲（華僑180人死亡） ・日本敗戦　・大阪空襲　・川西航空機工場の華僑挺身隊多数死亡　・終戦時9万強の中国人（内強制連行者30610人は同年年末までに送還。）で、残り**66131人に**（中華民国籍41736人、台湾24395人）。8/9長崎原爆人口の64%（15万人）死亡
1946	30847人 (内台15906人)	日本国憲法11/3公布　・2月ＧＨＱ「朝鮮人、中国人、琉球人及び台湾人の登録に関する覚書」(3/18登録)

中　国	備考その他	渡日(在日)朝鮮人
中華民国戸籍法	父渡日 14 才	
中国で「華僑登記規則」	台湾人徴用　・1930 年代「華僑証明書」、中華民国愛媛県華僑連合会発行、常時携帯	419009 名
9/18 柳条湖事変(「満州事変」)		
1/28 ～ 5 月第一次上海事変	3 月「満州国」(母 19 才で上海事変の渦中)	
	・最後の回葬（第七回神戸）*3 ・母渡日	1935 年 615869 名
内戦停止・7/7 盧溝橋事件。戦火は上海へも。8/14 第二次上海事変	日本全国で中国人逮捕者 326 名〈スパイ容疑等〉	
「中華民国維新政府」成立	中華民国駐神戸総領事館・大阪分館閉鎖	
南京汪精衛主席の国民政府		1241315 名
	第二次世界大戦　在日朝鮮人数 1936843 人	
	中国から強制連行労工神戸港へ	
	9/24 台湾徴兵制施行	
	・8 月ポツダム宣言　・12 月朝鮮人、台湾人の日本選挙権停止　・台湾人は中華民国籍回復。法律上の地位及び待遇は一般華僑と、他の連合国居留民と同等　・国籍回復を願わないものは在外公館宛 1946 年 12/31 までに申し出	2100000 名
	・3 月朝鮮人帰国開始、残 64 万人　・中華民国行政院より「在外台僑国籍処理弁法」公布施行　・朝鮮人登録	

	在日中国人数推移	日本（在留関係）
1947		駐日代表団華僑務処、在日中国人の登録と証明書の交付。1947年2月にGHQが証明書として認める。「中華民国の登録に関する覚書」　**・5/2外国人登録令公布実施（最後の勅令207号）**・日本国憲法5/3実施
1948	35379人	
1949	24288人 内台湾9973人	
1950		法147号「国籍法」公布
1951		9月サンフランシスコ条約調印・出入国管理令
1952	在日中国人 「一般永住」 42147名	4/28サンフランシスコ条約発効、在日朝鮮人・台湾人、日本国籍から解放　・外国人登録法公布・外国人登録者数約60万。95%が法126、残り中国人は「一般永住者」
1959	44599人	
1964		
1969		出入国管理法案・外国人学校法案上程
1972		9/29日中国交回復
1974	46944人	
1978		
1982	59122人	朝鮮韓国669854人全登録者数の83.5% 中国　**59122人**7.4%
1985		1月日本国籍法改訂（父母両系血統主義）
1988		
1989	137489人	
1991		11/1入管特例法で「法126」「特別永住」に
1994		
1999	総数 294201人	
2000		在日中国人特別永住**4151人**、一般永住**48809人**
2006		在日中国人帰化数**4347人**
2007		一般永住439757人、内中国人128501人、**戦前からの華僑37960人**（中国人特別永住者4250人）

中　国	備考その他	渡日(在日)朝鮮人
	阪神教育闘争	
10/1中華人民共和国成立		
	朝鮮戦争	
	台湾国民政府と日華平和条約（1954年4月調印）日本、対中敵視政策 ・在日中国人、国交回復までほとんど増加なし	
	ベトナム戦争（アメリカ軍事介入）	
文革収束へ		
	中国改革開放政策	

	在日中国人数推移	日本（在留関係）
2008	**総数** 655377 人	一般永住総数 492056 人内中国人 **142469 人**（外国人総数 21217426 人）中国人特別永住者 2892 人　・国籍法改定（認知のみで）
2018	730890 人	

＊1／2／3　霊柩回送とは 「帰葬」という風習。日本の地にやってきた中国人たちが仮埋葬される墓地を「中華義荘」と言う。いつかは故郷に帰ると言う望みがかなわず異国で命を落とした人々、死んだ後に許される帰郷を棺の中、又は一端土葬された土の中で数年に一度やってくる回棺船を待つ。船に載せられ、やっと故郷の土に帰っていく。神戸では関帝廟前にあった建物の中に回棺船を待つお棺が棚に高く積まれ、保管され、船を待っていた。1877 年第 1 回から 1936 年第 7 回で終わり、残された棺はそのまま建物の中に置かれるなどで多くは無縁仏となった。

＊4　買弁とは　漢字を使い欧米商人と日本人の間に立ち、取引契約を仲介する商人

★在日中国人数について

表中の中国人数は多少の誤差があります。特に戦前の統計は曖昧なことが多い。例えば中国人は、年代や、統計主体の方針などで、清国人、台湾人、時には満州人と分類したり、出稼ぎであろう中国人を統計に入れたり、入れなかったり、等々が実態です。

おおよその目安として参照の程度にしてください。

資料3
抗日こそ誇り―指紋裁判における意見陳述

はじめに

なぜ私が指紋を拒否したのか、それは決して指紋を押すことが〝犯罪者〟扱いであるとか「日本に定着し、日本人からはとらないで私たちからだけ取るのはおかしい」と言ったことではありません。在日している二世の中国人である私がこの〝指紋〟を拒否しているのは〝在日〟だけを問題にするのではなく、私たちの歴史の中から、〝指紋〟に対する中国人の〝民族的痛み〟の中からの必然なのです。

かつて日本が中国を侵略し、中国東北地方にデッチ上げたいわゆる「満州国」なるものの中で、侵略する者の宿命である民衆の抵抗、蜂起への恐れから、中国人あるいは祖国朝鮮を奪われ、国境を越え、この偽「満州国」に流れ着いた朝鮮人たちから、徹底的な治安・管理のため〝指紋〟を取ったのです。

その数は500万とも600万とも言われています。立派な指紋管理局さえ設けていたのです。中国人強制連行者に対しても逃亡させないためと言って指紋を取ってきました。偽「満州国」において、あるいは日本において、故郷を奪われた中国人、朝鮮人たちがこの〝指紋〟によってどれだけ投獄され、死に至らしめられたことでしょう。

戦後、日本の中で再びこの〝指紋〟を持ち出し、制度化したとき、いち早く反対の声を上げ、拒否をしたのは中国人でした。在日の中国人だけではなく、中国から日本に入国する貿易代表団もこの指紋の押捺を拒否し、「どうしても」押さなければ入国させないと言うなら」と一団揃って帰国してしまった事実な

ど列挙すればまだまだあります。中国人にとってこの指紋は今だに血の臭いがするのです。このことについてはこの裁判を通じて明らかにしていきたいと思います。

在日中国人二世である私がなぜ指紋を拒否したのか、どのような思想的変遷の中で今この日本の法廷の被告席に立たされているのか、明らかにしていきたいと思います。

1、母から受け継いだもの

私の父母は中国の上海に生きていました。特に母親は 20 数年間上海で様々な経験をしながら生きてきました。

私の母は上海の製糸工場の女工でした。日本を含め外国の租界、外国資本の企業が立ち並ぶ上海で、母はわずか〝6 歳〟で女工になったのです。「童工（トンコン）」幼年工です。そして日本に渡るまでの 20 数年間女工として働きながら、上海で半植民地下侵略される者の悲哀を体験し、かつまた女子労働者としての誇りと自信の中で生きてきました。

1932 年、母が 20 歳の年、「上海事変」が勃発しました。日本は 4 日間で全上海を占領してみせると豪語し、上海を踏み荒らしました。

工場は次々閉鎖され、操業は停止していきました。母は上海郊外の自分の村へ戻るとき、村に入る唯一の橋は封鎖され、日本兵が歩哨に立っていました。父親の身を案じて必死でその封鎖線を突破して村の中に入ると、死体がそこらあたりに横たわり、銃弾で傷ついた子供が泣き叫んでいたそうです。

村に戻って間もなく、日本兵が再び城門をたたきこわし、村に入って来たのです。そして村内の人々をすべて集め、村外にむけてぞろぞろと行進させたのです。その中にもちろん私の母

とその父親も一緒でした（母の母（私の祖母になりますが）は早く他界していましたので父親だけでした。）

日本軍は「もし１人でも逃亡したらみな殺しにする」と言い渡したのです。

まだ若い娘だったその時の母のいでたちは、男の服装に男の子がかぶる帽子をかぶり、腰にはドンゴロスの帯を結んで、まさにみすぼらしい男の子だったそうです。

母たちの村は日本軍に接収されたのです。軍用にするためにすべての村民を追い出したのです。村ごと奪われ、追い出されてしまったのです。母はその時、もう命は無いものと思っていたそうです。母は「少しも恐くは無かった。父も（私の祖父です）村のみんなも一緒だったから、でも出来ることなら１番に射ち殺してほしい、村のみんなや父親が射たれていくのを見たくないから」と思ったそうです。

結局村の多くの人々は難民収容所に入れられ、母は散り散りになった姉たち家族を求めて町をさまよい歩いたそうです。

母はそれから数年後、日本にでっち奉公に出ていた父と中国で結婚しましたが、上海ではすでに職を得ることができず、母にとっては初めて、父にとっては２度目の来日となったのです。

母の生まれ故郷、日本に奪われた村は屈家橋と言います。私はまだ再入国の許可が出ていた数年前、上海を訪れ、母が祖父の身を案じて強硬に渡ったという屈家橋という橋を見てきました。村の畑の中に今も残る日本軍の防空壕も見てきました。村道を歩きながら、かつて横たわっていた死者たちのうめき声が聞こえてくるような気がしてなりませんでした。

上海では日本のことを〝東洋（トンヤン）〟と呼んでいます。日本人のことを〝東洋人（トンヤンレン）〟あるいは〝東洋鬼（ト

ンヤンクェイ)〃と呼んでいました。6歳から女工だった母はもちろん無学で、自分の名前すら40の手習いでやっとたどたどしくではあるが書けるようになったのです。そんな母は日本に渡り、私たちを育てる中で、自らの歩んできた歴史を〝教育〃などというかっこうの良いものではないが、無意識に自らの感性として、生きる姿勢として私たち子供に伝えてくれました。

〝自立〃と〝民族の誇り〃と人間としての尊厳とは何かを。

まだ封建的なあの時代に自ら工場労働者として生き、反日と労働者の〝生きること〃〝人間の尊厳〃をかけた半植民地下での労働者たちのストライキ、デモの嵐が吹きまくる上海、封建制に風穴をあける新風の吹く情熱の上海の中で青春を生き、我が故郷を銃剣をもって奪い、仲間を殺し、生死の間をさまよわせた日本軍〝東洋鬼〃を目の当たりにし、そんな中で得たものを私たちに伝えたのです。

上海語しか出来ない母だったので私は生まれ落ちたときから中国語(上海語)の中で育ちました。私が子供の頃の母はいつも中国服だけ着ていましたし、食べ物を含め、生活習慣はすべて中国式でした。

6人の子育てで貧困の中にあっても、私は日本の公立学校とはくらべものにならない程高い授業料が必要だった民族学校に通いました。自力で守ってきた民族学校も戦火や弾圧で潰され、やっと再建した民族学校も、何の経済的援助もない中で運営せざるを得ず、必然的に1人1人の経済的負担は大きいものでした。

そんな民族学校の中で、授業料さえ満足に払いきれなかった者は、肩身の狭い思いをせざるをえませんでした。私自身も「貧乏たれ」として授業料の半免費児童でした。授業料の袋渡しの

日は半費の印の入った袋をもらうのがとてもいやでした。特に、教師の「なぜ半費しか払えないのか」と言う嫌みが本当に腹立たしくて、今でも忘れることができません。

しかし、小、中と９年間、民族学校の中で、そして中国的な環境の中で、本当に自然に中国人として育ってきました。私が「中国人である」ということを１度も否定的にとらえることがなかったのは、父母の努力とともにこの民族学校での９年間があったからです。

「貧乏ったれ」として中国人社会、民族学校でいやな思いをしながらも、私は中国人教育労働者になりたいと漠然と考えていました。そして、日本の定時制高校、２部の短大初等教育科を卒業するまで、昼は職業を持ちながら、６年間、夜、学校に通ったのです。

これまでの十数年間、私はいわゆる民族差別について実感はあまりありませんでした。例えば、高校受験の時、ある私立高校に願書を出しに行く友人に同行し、その学校から「うちは中国人は入れません」と文字通り門前払いされた時も、短大卒業前、級友たちがみな忙しく各公立の幼稚園や小学校の採用試験の手続きをしている時も、私は何の疑いもなく「私は中国人だから入れるわけがない」と思っていたのです。

２、西成で―黙っていては中国人として生きられない！

1970 年、結婚し、大阪の西成区に移り、初めて多くの在日朝鮮人、あるいは私と同じ中国人が日本社会の様々な偏見や差別によって同化を強いられていること、それぞれの民族性が肯定的なものとしてではなく多くの場合は否定的なものとして扱われていること、日本人学校にこれ程多くの在日朝鮮人や中国

人がいたことなどを知りました。〝中国人〟であることを主張して生きていながら、より多くの在日中国人や同じ歴史を持って歩んできた在日朝鮮人がどのような日本社会の状況の中で生きているのかさえ知らなかったことに初めて気づかされました。

こうして、この西成で民族差別と言うものを実感していくことになるのです。

それでも私は「貧乏ったれ」であるがために生きにくかった中国人社会からこの西成に移り、まさに水を得た魚のように「貧乏ったれ」を堂々と肯定的に生き始めることが出来たのです。

西成に移った私はまず、仕事を探し始めました。自分の住む地域の近辺のすべての保育所、幼稚園に保母としての採用を打診して回りました。結局どこも良い返事がありませんでした。近所の工場で数ヶ月働いている間にある民間の保育所から連絡があり、面接に行くことになりました。

履歴書を持参し、家からすぐ近くにあるその保育所に出向いて行きました。キリスト教の牧師であるそこの園長は私の履歴書を見ながら「来て下さい」と言うことで採用となりました。しかし「名前は徐（ジョ）では読みにくいので」と言う理由で、私の連れ合いの苗字である林（リン）を日本読みの「はやし」と読んで「はやし先生」にしようと、条件がつきました。

私はやっと仕事をみつけたのに、情けなくなりました。自分の名前が「ダメだ！」「日本名にしろ」と言われるなんて、情けなくて、くやしくて、こんなことは初めてです。

私はそのまま、そこに就職しました。でも、どうしよう、「はやし」なんかで生きていける筈がないのに、と内心思っていました。

私はずっと中国人として生きてきました。でも、この西成に来て、初めて「黙っていては」中国人として生きられなくなるんだということを、これを手初めに思い知らされていくことになるのです。

就職してすぐに私は、「はやし」として紹介されたのですが、１ヶ月もたたないうちに私は職員や子供たち、みんなに「はやし」ではない中国人だから〝リン〟ですと主張しました。徐(ジョ)ではなかったけれども、私は少なくとも中国人であることを取り戻しました。私は中国人保母として在日朝鮮人が半数近くも在籍するこの保育園の子供たちの前にやっと堂々と立つことができたのです。

この保育園は大阪市に移管されることになっていました。民間保育園から公立の保育所に変わり園長は大正区の新しい民間保育所を委託されることになっていました。私たち職員は、この保育所が市立になってもそのまま残る人と、大正区の新保育所に移る人と、それぞれ自由意志で選択することとなり、組合を通じて具体的交渉に入りました。

私が中国人であると言うこともあってか、在日朝鮮人の保護者たちともつながりが出来、オモニたちから〝民族差別〟の実態や子供たちへの思いなどを話し合えるようになり、私はここで多くのことを学び、私のやることをやっと見つけたような気がしていた時だったので、その選択について、私は何の迷いもなく「ここに残りたい」と主張しました。

ところが、市立になるのだから、当然職員は市職員、公務員になるわけです。私の希望は「中国人では困る」と拒否されました。

ここは私の職場です。そこの経営主体が民間から公立に変わ

るからといって、なぜ私が放り出されなくてはならないのでしょうか。ましてや、ここは物を生産しているのではなく、生身の子供たちとのかかわりの場ではないんですか。他の職員はすべて自らの希望通りになったのです。

大阪市の役人たちは「市職員の採用要綱には『日本国籍を有する者』とあり帰化するしかない」「そんなに言うのなら自分の国に帰れば……」「日本人が中国人に保育されるなど市民感情が許さないだろう」と本心をあらわにしました。

なんとふざけた話でしょう。私が保育している子供たちは日本名こそ名乗らされてはいても半数は朝鮮人の子供たちなんだ！なぜ、この子たちを「日本人」と言うのか、又、この発言は中国人、朝鮮人に対する日本人の中にある差別感情を助長し扇動するものに外なりません。

私の職場を確保するためには、又もや中国人であることを捨てろと言うのです。

1971 年 7 月 1 日、皮肉にも私が初めての子供（在日中国人三世）を出産した次の日、〝中国人〟であることを捨てなかった私は、大阪市からボロ布でもあるかのように解雇されたのです。

それから乳呑み児をかかえ、私を心配してくれる保育園の保護者たち、特に在日朝鮮人の保護者たちの手助けもあって、彼女たちの内職を回してもらったり、励ましを受けながら、生活をつなぎつつ、大阪市相手に在日中国人保育労働者としての私の職場を返せと闘いを続けたのです。

大きな大阪市を相手に、それも市のいわゆる、法律とも言えそうな文章化された仰々しい〝採用要綱〟の撤廃を要求したのです。

かつての仲間である他の職員は「条文」であるんだから仕方がない、勝ち目はない、とそれぞれ自らの身の保全に散り散りになっていった中で、私の力は〝中国人〟であることを曲げるわけには行かない、母からいつも教えられてきたように「中国人としてちゃんと生きなあかん」と言う信念と、多くの在日朝鮮人の子供たちの前に、〝民族差別〟に負ける姿を示す訳にはいかないことでした。そして、「うちらもさんざん差別され、日本名も名乗らざるを得んようにされて、くやしい思いばっかりしてきたけど、先生がんばってや！」と励ましてくれるオモニたちの存在でした。大きな、苦しい闘いを繰り拡げる中、約１年、私は「はやし」としてでも「リン」としてでもなく〝徐翠珍〟として私の職場を取り戻したのです。

今、大阪市職員採用要綱に「日本国籍を有する者」という項目、条文はありません。

３、学童保育所の『芽』を育てる中で

法は法、法律は守らなければ…と言います。そうでしょうか。悪法や悪制度、悪い習慣にどれだけの人たちが泣かされているでしょうか。そのような法や制度は泣かされている者がそれに気付き、抵抗し、変革していくものです。

私の職場の学童保育所『芽』は以下のような趣旨の下に10年前発足しました。

「……私たちがこの学童保育所を何としても始めなくてはと決意したのは、声にならない子供たちの叫びがあったからです。「もう今までのようにおとうちゃん、おかあちゃんが働いている間、日もささない部屋に一人残されるのはイヤだ！」「危険な仕事場で遊ばされるのはイヤだ」「いつもおかあちゃんだけ

にベッタリとついといてもらうのはイヤだ！」「たとえ言葉で話すことができなくても、友達と一緒にいたいんだ！」

子供たち、とりわけ『障害児』と呼ばれる子供たちのこうした叫びをしっかり受けとめることが出発点でした。……私たちは、この学童保育を、単に『カギッ子対策』として位置付けるのではなく、自分で生活を組織できる子供、それぞれの民族性を尊重しあえる子供を目指して……そしてなによりも『障害児』と『健常児』とが共に歩んで行く場にしたいと考えています。

今、学童保育所はそれなりに安定し、『障害児』たちも自らの場を得たところであり、親たちもこの学童保育所を築き上げたことの自信と誇りに満ちています。

一体何が自信と誇りの根源になっているのでしょうか。

『障害児』たちは長い間、健常者社会からの差別、偏見によって、あるいは何がしかの法文や条文、慣習によって他の子供たちと一緒に地域の保育所、学校に通うことができず、遠く離れた施設や養護学校へ、あるいは『在宅』といって家の中でじっとしていることを余儀なくされてきました。地域の子供たちの前からは『障害児』は目に入らなくされ続けてきました。そんな中で『障害児』や『障害児』を持つ親たちは長い間様々なくやしい思いをしながらも健常者社会の『やっかい者』として人目を避け、遠慮しいしい生きざるを得ませんでした。

しかし、多くの障害者解放の声を上げ、『障害』のある子も当然として地域の保育所や学校へ通わせろという大きな闘いの中でその勝ち取られた成果の上に、私の息子たちの通う保育所でも『障害児』を受け入れて行きました。そこで出会った『障害児』を持つ親たちは、それでもやはりいつも遠慮しがちで『入れてもらっている』『世話をかけている』といったところから

なかなか抜けきれず、肩身の狭い思いをしているのがよく感じられました。

数年の交流の中で私たちはその子供たちが卒園するのを機に、「『障害児』と『健常児』が共に育ちあえる」学童保育所作りを始めました。場所の確保、経済の確立、仲間作り、行政との交渉とゼロから出発した私たちはやることが山ほどありました。特に、行政との交渉の中で、時には警察を導入しての弾圧の中で、初めて自らが置かれていた位置や『障害者差別』に対する怒り、弱い者を切り捨てていく行政のあり方への怒りが一人一人の親たちを強くしてくれました。

もはや、遠慮しながら生きることはない、堂々とこの子達の存在を主張し続けるのです。

私たちの学童保育所は今、不十分ながらも当初の趣旨通り、それぞれの民族性を尊重しあい『障害児』も『健常児』も共にハンディーをおぎないあいながら心優しい仲間作りの場を目指しています。

抵抗し、主張し、闘い、『障害児』にかけられた悪制度や悪い習慣も変えさせてきました。そればかりでなく、『障害児』たち、親たちが勝ち取ったものは生きていく上での根源である自信と誇りだったと思います。

『障害児』たちを取り巻く状況は厳しいものです。法制化された『保安処分』でいつでも危険な存在として国家の権限で強制隔離、収容、拘禁されていくのです。又、世の中悪くなればなるほど、地域社会から『普通』でない、異様な者、役にたたない者として排斥されていくことを歴史の中に見ることができます。

私たちはより強く、抑圧には抵抗をもっていくしかないこと

を学童保育所を守り育てていく中で、又実感してきました。

4、釜ヶ崎との出会い

1983年、新聞紙上で横浜の少年たちによる日雇労働者に対する襲撃事件が伝わりました。当時、私たちの学童保育所の中で大きな話題になり、じっとしていられない気持ちでした。なぜかと言うと、私の住む地域は日本で一番大きな日雇労働者の寄せ場である釜ヶ崎のすぐそばで、歩いても20分程の所にあります。このニュースを聞きながら、他人ごとではなく、私たちの子供たちが、いつそれと同じ加害者になるか、あるいは被害者になるかも知れないのだと、まず思ったのです。そして、こんな近くに住みながら釜ヶ崎のことを何も知らないことに気付いたのです。

私たちはまず釜ヶ崎の労働者を招いて学習会を持ち、釜ヶ崎の現実について少し学びました。そして、私たちにまず何が出来るのかを話し合いました。

仕事のない年末年始、凍りつく外で野宿を強いられる労働者が1人残らず、生きて春を迎えられるようにという釜ヶ崎の越冬闘争の時期に入るので、私たちは医療・炊き出しの手伝いをすることから始めることにしました。そして、凍死者を出さないための地区内パトロールにも参加して行くことになりました。

【ある釜ヶ崎労働者の死】

釜ヶ崎にもしばしば足を運び出した頃の1985年、1人の日雇労働者の死に出会ったのです。

彼は『ターヤン』と呼ばれ、自称『たしろ』、わずか32歳で死んでしまったのです。貧しい農村から集団就職で出て来て

以来、方言が受け入れられない都会で、仕事を転々とし、造船所の下請で塗装の仕事をやる中で〝じん肺〟で身をこわし、流れ流れて釜ヶ崎へ、赤旗なびく釜メーデーに出会い、仲間たちと出会ったのです。

私がターヤンを知ることになったのは釜ヶ崎の越冬、夏祭り、たまに釜ヶ崎に行くときにはいつも彼の姿があったからです。

ターヤンのささやかな葬儀の日、焼香台の額の中には赤旗をしっかりにぎり、堂々と行く彼の姿がありました。彼が赤旗に出会ってまだ５年でした。家族離散、身内のわからない彼は、釜ヶ崎の仲間たちに囲まれて逝ったのに「無縁仏」です。ターヤンのお骨は仲間たちのもとに帰れないというのです。「福祉預かり」になるというのです。

ご存知でしょうか、釜ヶ崎では毎年７〜80名近くもの行路死亡者がいることを。元気な頃は、様々な工事現場で汗水流して働いてきたのです。この立派な裁判所の建物も彼らの血と汗がにじんでいるはずです。そして、年老いたり、病気や労災などで働けなくなると何の保障もなく放り出され、寝床すらなく、衰弱した身体に追い打ちをかけ、そして、冷たいコンクリートの上で一人死んでいくのです。生きている間は「ゴミ」「ヨゴレ」「浮浪者」「なまけもの」と人間の尊厳を踏みにじられ、死ねば『無縁仏』として行政に保管されるのです。私は思い出さないわけにはいきません。重なり合うのです。かつて、強制連行で酷使された朝鮮人、中国人と。国会議事堂を始め、日本のあらゆる大きな建築物、炭鉱、鉄道などの中に、彼らの汗と血が染みているのです。そして戦争が終わると骨と皮だらけになって生き残った多くの朝鮮人、中国人は様々な建築現場で再び血と汗を流し、そしてターヤンのように死んでいった者も多いのです。

行路病死者80名は、1人ターヤンの具体的な死に顔を思い出すたびに、私たち一世の無念の死と共に大きく私に問いかけ、私は何をなすべきか、どう生きるべきかを考えさせてくれるのです。

1983年、日本の警察（大阪府警南署）は、釜ヶ崎の日雇労働者を始め、大阪で野宿を余儀なくされている労働者に対して、強引に顔写真をとり、指紋を取りました。なぜでしょう。

市民社会から「きたない」「なまけもの」と差別され続け、国家、警察からはいつ何をしでかすかわからない奴らと、治安の対象とされる彼ら。国家は彼らの動向、人間としての叫びが恐ろしいのでしょう。

弱い者を切り捨て、あるいは踏みつけながら存続し続けたこの日本国家にもっとも〝同化〟しない、まつろわない、時には住民登録さえ拒否続ける彼ら、管理しきれない彼ら、国家は今に最も人間らしい叫びが上がるのではないかとおののいているのではないでしょうか。彼らが取られた指紋と私たちが取られ続けている指紋と、一体どこが違うというのでしょうか。

5、「犯罪者」扱いについて

私は冒頭で、「犯罪者」扱いはいやだから指紋を拒否しているのではない、と言いました。それは弱い者を切り捨て、踏みつけながら肥大化した日本国家が規定し、作り上げる「犯罪者」とは往々にして、しかも大多数は、私たちが排斥すべき人々ではなく、下層に生きる私たちにとっては、基本的に仲間であるからです。

具体的には企業、警察権力一体となった攻撃の前に、「犯罪者」とされていく労働者や様々な抑圧、偏見の中で指紋を取ら

れ、顔写真を取られ、いつ何をするかわからない者として「犯罪者」にされていく釜ヶ崎の労働者たち、「ちょっと変わっている、普通と違う」「何をするかわからん」と保安処分、排斥の対象にされて行く、私たちの学童保育所の子供たちを始めとする『障害者』たち、と、西成に生活する者として身近に感じてきました。

又、えん罪を背負わされ、捕らわれの日々を余儀なくされている人々、そして民族の、人間の解放を求めて捕らわれの身であるおびただしい日本の、アジアの、第三世界の人々の存在を知るにつけ、〝「犯罪者」扱いはいや〟と、彼らの存在と、私たち在日中国人、朝鮮人の存在を分断するような主張はとても出来るものではないのです。まして、私たちがこの日本でどう生きるかを模索するとき、それはおのずと明確です。〝人権〟と言う言葉を私はもっと丁寧に用い、1人1人の社会的背景を尊重し、その言葉の概念をより幅広く見てしかるべきだと思います。

6、そして指紋拒否

1980年、マスコミを通じて初めて指紋拒否の事実を知ったときは「ヘェー、こんなこと出来るのか」と、自分では想像すら出来なかったことの抵抗に驚きました。やっぱり、朝鮮人はえらいなあと思いました。しかし自分では「もう何度も取られているし」、外登証を持たされ続け、慣らされ続けている自分に気がつきませんでした。外登証を持たされているのに〝指紋〟だけなぜあえて問題にするのかもよくわかりませんでした。

そして1985年5月、私たちの学童保育所と交流のある生野区の学童保育所指導員朴愛子さんの〔私の訴えとお願い〕と言

う文章を見て、初めて同じことを考えている人がいることを知りました。彼女の訴えは

指紋制度は決し『民族問題』だけではないと考えています。たまたま在日朝鮮人に対する法律として指紋制度はあるけれど、日本政府支配者層の考えは決してそうではありません。この日本社会の秩序と安寧のためには目障りなもの、やっかいな者､疎外すべき者として私たちが在ると言うことです。それは、『障害者』や部落や下層の者と共にいつでも排除され得るし、そのための管理政策として……

とありました。

彼女の訴えを見て、だまっていられませんでした。彼女を逮捕しようと言う大阪府警に対し、彼女の呼びかけもあり、抗議にいくことにしたのです。彼女の呼びかけに多くの人々が集まりました。大阪府警は私達を府警の正門の前まですら近づけずに、歩道上で抗議文を読みあげている私達に襲いかかり、あらん限りの乱暴をはたらき、私達を蹴散らそうとしました。そして私もその中で逮捕されました。思いもよらないことです。こんな事で警察権力が何故やっきになるのか、そのうえ私にも10日間の勾留さえついたのです。不思議でなりませんでした。拘置所では「なんじゃ中国人か、日本に住ましたってるのに、こんなええ国で何の文句があるのか」と吐きかけられ、拘置所から出ると、例の大阪府警富田五郎のあの発言です。「文句があれば国へ帰れ」「それがいやなら帰化の道も」。この言葉は聞いたことがある。私は目が覚めた思いです。そうです、十数年も前西成区に移ってすぐ、大阪市から解雇された時に浴びせられたあの言葉です。まるで同じなのです。

〝指紋〟は同化も追放もできない人達の動向を管理し、やり

たい放題の日本国家にたてつく者を管理するために必要だったのです。真に人間の尊厳を守ろうとする人間たちへの鎖だったのです。

私は自らの生い立ちと生き方の中で、様々な人々の痛みを少なからず共有する事ができ、その痛みからの解放をめざして闘う人々の温かさにも触れてきました。今、私自身にかけられた鎖を解き放つ作業に入るのは私の生き方の延長線上、必然のことなのです。まして、冒頭でも触れた通り、中国東北部偽「満州」における指紋制度のほぼ全容が今、明るみに出ようとしています。偽「満州」における居住証、指紋制度は中国全土で残虐の限りを尽くした侵略者日本と果敢に闘った誇り高い中国人、あるいは朝鮮人たちを「匪団」と恐れた日本が、彼らの糧道を断ち、民衆と分断させようとする目的で制度化したものです。

私は日本国に問わざるを得ません。偽「満州」で中国人たちが銃剣のもとに持たされた（これも常時携帯です）指紋付きの居住証と、今私たちに強要している指紋、あるいは外国人登録証と、一体どこが違うと言うのでしょうか。

何の歴史的総括もされないまま、この指紋を認めることは、日本の侵略、「大東亜共栄圏」なる妄想を認めることであり、私たち中国人にとってはかつての屈辱の歴史を認めることである、私自身にとっては、中国人として人間として誇りを持って生きるということを根柢から否定することに他ならないのです。私はもはや指紋を押し続けるわけには行かないのです。

最後に

私は中国人としての民族の誇り持って生きたいのです。民族の誇りとは決して「中華思想」なるものではありません。長い

苦難の侵略の中で、人々はひざをつくことなく人間の尊厳を守り、闘い続け、あの巨大な帝国日本を追い払ったのです。

〝反日〟〝抗日〟をスローガンにした中国民衆の長い人間回復の闘いの歴史の中にこそ、私たちが継承すべき民族の、人間の誇りを見いだすことができると信じています。

抑圧に対する抵抗なくして人間としての誇りなど生まれようがありません。それに気付かせてくれたのは私の父母を始め多くの抑圧の中で必死に抵抗し生きる、心優しい私の仲間たちであり、中国の上海の屈家橋の村道で、あるいは私の西成で、凍りつく釜ヶ崎のコンクリートの上で殺されて行った無念の死者たちの叫びだったのです。

私は日本国家の悪法にそむいても人間の道にそむきたくありません。

父母を始め、中国民衆の〝抗日〟の思いと、私たちの三世、四世への熱い思いを持って、侵略国日本に抗して闘う抑圧の中にある多くの仲間たち、日本にまつろわぬ日本の仲間たちと共に闘い続けることをここに宣言し、私の陳述とします。

（1987 年 3 月 23 日、大阪地方裁判所第 14 部刑事 1 係 201 法廷にて陳述。文中の子供はママ表記）

資料４　「恩赦」拒否声明

いま日本政府は、天皇の死去によって、私たちの永きにわたる外国人登録法、指紋押捺および登録証常時携帯制度に対する闘いを、「大赦」の名の下に押しつぶそうとしています。

戦前、植民地支配・異民族支配のために利用された指紋制度が、戦後も何ら清算、反省されることなく、在日韓国･朝鮮人、中国人をはじめとする在日外国人に強制され続けているのです。中国における反侵略の中で闘われた反指紋押捺から始まり、日本敗戦直後の 1964 年、指紋制度・登録制度導入をもくろんだ「朝鮮人登録令」に対する闘い、「外国人登録令・法」「出入国管理令・法」に対する闘い、とたゆまず続けられた韓国・朝鮮人、中国人たちの闘いは、ここ十年来の私たちの指紋押捺・常時携帯反対闘争へと引き継がれ、いま大きなうねりとなっています。

日本の朝鮮・中国侵略と深い連なりの中にある外国人登録制度であればこそ、私たちの闘いは人権獲得の強い要求を基本に、様々な思いから出発しながらも、天皇の名の下に行われた、あの虐殺をほしいままにし皇民化教育を推し進めた侵略戦争の影から離れることはないのです。日本政府は天皇の死去を機に、最後の勅令「外国人登録令」を前身とする悪法、外国人登録法を反省をこめて撤廃、あるいは抜本改正することで１つの戦後責任を果たすべきです。

私たちはこの間、法廷において外国人登録法、指紋押捺・常時携帯制度が憲法および国際人権規約に違反していることを明らかにし、無罪であることを主張してきました。私たちの裁判闘争に対して、「大赦」「免訴」とすることは、裁判を受ける権

利を侵害するばかりでなく、私たちの正当な主張を封印し、虚構の歴史をまたもや捏造するものに他なりません。

日本の侵略の歴史を刻印し、今なお元植民地民衆とその二世・三世に非人間的「屈従」を強いている外国人登録法。この悪法に対し、怒りの中で身を以て撤廃、改正を要求する私たちに、天皇の名の下に「赦す」とは一体何事でしょうか！　再び、三度、日本の侵略の歴史的責任を回避し、天皇を頂点とする差別・排外の構造を温存し続けようというのでしょうか。

裁かれるべきは天皇と日本政府であって、私たちではありません。

一. 私たちは、「大赦」を断固拒否します。

一. 私たちは、外国人登録法の撤廃・抜本改正を引き続き要求します。

1989年2月6日

総理大臣　竹下　登殿

法務大臣　高辻正巳殿

(福岡地裁) 2名
(広島高裁) 3名
(神戸地裁) 1名
(大阪地裁・高裁) 10名
(京都地裁) 2名
(津　地　裁) 2名
(名古屋地裁) 1名
(横浜地裁) 3名
(東京高裁) 3名
(最　高　裁) 7名

(以上34名における声明。ここでは係争中の裁判所のみ記しました)

資料5　戦争法違憲訴訟　原　告　意　見　陳　述

私は戦後まもない、まだ「戦争」の臭いが色濃く残る神戸市で、1947年に中国人の両親から生まれた「在日中国人二世」です。私には直接の戦争体験はないと言うことになるでしょう。

しかし、子どもの頃、数少ない日本人の遊び友達の家でのこと。復員して間もないのだろう、軍服色の服を着ていたと記憶しているその子の父は私に向かって、片言の中国語を披露した。中国戦線帰りだったのだ。まだ就学前6、7才の私は「このおっちゃんも中国で中国人を殺したんや」と思った。この記憶は鮮明です。その時の周辺の情景さえも覚えている。誰に教えられたのでもなく、父母や近所の中国人の大人たちの日常会話から、子どもながら感じていたのだろう。いくつもの「怖い」と言う情景、私の脳裏にしまい込まれていたのでしょう。これが私の戦争体験であるかも知れないです。

戦後70数年、今、安倍政権は「戦争法」を始め戦争のための様々な法整備をすすめています。アジアでの緊張を助長し、民衆の戦争動員の基礎である他民族排外を煽り「戦争やむなし！」の機運を高め続けています。戦争への足音はすぐそばに聞こえてきます。

「怖いです！」、戦争が始まれば、いや、その準備を始めれば、この日本の中で1番「恐怖」を感じ、1番に被害を受けるのは私たち「在日韓国・朝鮮・中国人」であり、とりわけその子どもたちだと、強く感じてきました。

「戦争法」が成立してしまった一昨年9月19日、私は国会前で固唾をのんで日本の行く末を凝視していました。自身の「恐

怖」とともにこれからもここ日本で生き続ける私たちの子や孫の行く末を心から案じて悔しさで一杯でした。

戦時中、日本の中で生きていた私たち「在日中国人」は日本人にとって「敵国人」と言う存在でした。排外と侮蔑の対象でした。その「敵国人」、どんな思いで日本の中で生きていたかご存じでしょうか。例えば、中国南京で残虐な「戦果」をたたえ、提灯行列で歓呼するそばに、身をすくめていた日本に生きる中国人たちがいたことを、想像できたでしょうか。

戦中、私たち「敵国人」は公安・外事警察の監視の下、スパイ容疑や治安維持法などのでっち上げによる逮捕、拷問、追放送還などの事件は全国に数多く記録されています。戦後もその実態は大きく変わりません。

私たち神戸の在日中国人には身近だった神戸での事例の一端を紹介します。

戦中1944年頃に起こった「神戸呉服行商弾圧事件」です。(行商は当時中国人に許された数少ない職業でした)

行商組合の20名近くの中国人が突然連行。内12名がスパイ容疑で逮捕。神戸から大阪曽根崎署に連行され、内6名もが拷問の末死亡しています。その内神戸の自宅で突然逮捕、大阪曽根崎署に連行、その間妻の再三の面会要求もかなわず、5ヶ月もの拘留のあと「陳守海を引き取りに来るように」との通知で駆けつけたが、すでに死亡。骨と皮だけになって獄死していた。陳守海妻の記憶です。「戦争」「敵国人」「中国人」故の理不尽でしょう。

終戦後に生きた私たちにも当然その「恐怖」は伝承され、特に昨今の「ヘイト」に委縮し、「戦争への足音」に身震いするのです。

やっと「敵国人」と言う憎悪の目から解放されたのは1945年日本の敗戦です。しかし、「恐怖」からの解放では決してなかったのです。

日本は、国家・民衆とも戦後処理、戦後責任に明確に向き合ってこなかった結果、時の権力者により民衆の中にインプットされた「民族差別」の意識は戦後70年、ひっそりと又はあからさまに生き続け、昨今の「ヘイトクライム」「嫌中、嫌韓」へと連続してきたように思えてなりません。事実戦後生まれの私たちもことあるごとにその「恐怖」を味わってきました。日本の社会は何か口実を見つけては「在日」の子たちのチョゴリを切り裂き、中国人の子らが通う民族学校に石が投げ込まれる。それは戦中の出来事だけでなく、戦後数十年も経っての事でもあるのです。侵略戦争遂行に不可欠な「排外思想」の醸造は今に続いているのではないでしょうか。私たち戦後生まれの「在日中国人」にとってもあの戦争による心的被害は甚大なものです。

「戦争法」が成立してしまった事による私たちのフラッシュバックする「恐怖」はどのように解消すればいいのでしょうか。迫害の「恐怖」に晒されることなく安寧に生きるというのは誰にとっても「法的にも保護される最低限の権利」ではないでしょうか。

「○○ちゃんのお父さんも中国で中国人を殺したんや……」と思っていた6、7才だった私はそれから60余年の歳月をかけ、まがりなりにも多くの日本の仲間との「信頼」を積み上げてきました。これが私のここ日本での生き方です。歴史を直視し、未来を築きたいと思っています。しかし「戦争法」をめぐる緊張は積み上げた「平和」「信頼」をいとも簡単に踏みにじっ

てしまうことでしょう。

日本の憲法は「日本は再び戦争をしてはならない」と言う、約束の憲法であると認識しています。

選挙権すらなく、一票を投じて「こんな法律を通さない」と言う意思表示さえできない私たちの数少ない意思表示と思ってこの訴訟に加わっています。

この日本で生きる私たちにも「平和的生存権」はあるのです。私たちにとっても「司法」は人権を守る最後の砦です。人の血が通った「司法」であることを切に願ってやみません。

(2017年　「戦争法」訴訟における原告陳述より)

徐　翠珍（じょすいちん　XUCUIZHEN）
プロフィール

1947年、華僑2世として神戸市に生まれる。武庫川女子短期大学教育学部2部卒業。1965年〜1998年まで保育士として華僑幼稚園、民間保育所、大阪市立保育所に勤務。学童保育所、福祉作業所の立上げ。この間1971年には勤務していた民間保育所の公立化にともない、大阪市保母採用要綱の国籍条項を根拠に解雇、国籍条項を撤廃させ現職復帰する（外国籍公務員第1号）。

1985年からは外国人登録の指紋押捺を拒否、天皇恩赦拒否など一連の外国人登録法関連訴訟の原告、被告であり、運動の事務局も担う。

1997年、米軍基地駐留経費「おもいやり予算」返還訴訟を呼びかけ、296原告と共に提訴。2001年からは小泉首相の靖国参拝違憲アジア訴訟、靖国合祀取消訴訟・安倍首相の靖国参拝違憲訴訟等一連の靖国訴訟を担う「靖国合祀イヤです・アジアネットワーク」の事務局として現在に至る。

1996年からは、雑誌「反天皇制市民1700ネットワーク」（年2回発行）第1号より現在まで編集担当。2007年「非暴力・反戦反差別平和」を理念に市民共同オフィス「ＳＯＲＡ」を共同で立ち上げ、共同代表として現在に至る。

華僑二世徐翠珍的在日

2020年2月20日　初版第1刷発行

著　者　徐　翠珍
発行者　稲川博久
発行所　東方出版株式会社
〒543-0062　大阪市天王寺区逢坂2-3-2
TEL 06-6779-9571　FAX 06-6779-9573
装　丁　髙　元秀
印刷所　株式会社 国際印刷出版研究所

乱丁・落丁本はお取替え致します。

ISBN978-4-86249-386-6